Fabian Lenk

Die Zeitdetektive

Das Rätsel des Orakels

Fabian Lenk

Die Zeitdetektive

Das Rätsel
des Orakels

Band 8

Mit Illustrationen von Almud Kunert

Ravensburger Buchverlag

Bibliografische Information der Deutschen Nationalbibliothek:

Die Deutsche Nationalbibliothek verzeichnet diese Publikation
in der Deutschen Nationalbibliografie.
Detaillierte bibliografische Daten sind im Internet
über **http://dnb.d-nb.de** abrufbar.

4 5 6 7 8   15 14 13 12 11

© 2007 Ravensburger Buchverlag Otto Maier GmbH
Umschlag und Innenillustrationen: Almud Kunert
Lektorat: Jo Anne Brügmann

Printed in Germany

ISBN 978-3-473-34525-0

www.zeitdetektive.de
www.ravensburger.de
www.fabian-lenk.de

Inhalt

Kim, Julian, Leon und Kija – die Zeitdetektive

Die schlagfertige Kim, der kluge Julian, der sportliche Leon und die rätselhafte ägyptische Katze Kija sind vier Freunde, die ein Geheimnis haben …

Sie besitzen den Schlüssel zu der alten Bibliothek im Benediktinerkloster St. Bartholomäus. In dieser Bücherei verborgen liegt der unheimliche Zeit-Raum „Tempus", von dem aus man in die Vergangenheit reisen kann. Tempus pulsiert im Rhythmus der Zeit. Es gibt Tausende von Türen, hinter denen sich jeweils ein Jahr der Weltgeschichte verbirgt. Durch diese Türen gelangen die Freunde zum Beispiel ins alte Rom oder nach Ägypten zur Zeit der Pharaonen. Aus der Zeit der Pharaonen stammt auch die Katze Kija – sie haben die Freunde von ihrem ersten Abenteuer in die Gegenwart mitgebracht.

Immer wenn die drei Freunde sich für eine spannende Epoche interessieren oder einen mysteriösen Kriminalfall in der Vergangenheit wittern, reisen sie mithilfe von Tempus dorthin.

Tempus bringt die Gefährten auch wieder in die Gegenwart zurück. Julian, Leon und Kim müssen nur an den Ort zurückkehren, an dem sie in der Vergangenheit gelandet sind. Von dort können sie dann in ihre Zeit zurückreisen.

Auch wenn die Zeitreisen der vier Freunde mehrere Tage dauern, ist in der Gegenwart keine Sekunde vergangen – und niemand bemerkt die geheimnisvolle Reise der Zeitdetektive …

Eine Welt ohne Licht

Julian schloss die Augen. Warum nur hatte er sich breit-
schlagen lassen, warum war er in dieses Gefährt ge-
stiegen, das geradewegs in den endlos blauen Himmel
über Siebenthann zu rasen schien? Doch jetzt konnte er
nicht mehr zurück. Ein massiver Bügel aus Metall
drückte ihn in seinen Sitz. Julians Hände schlossen sich
fest um diese Stange. Der Wagen, in dem er saß, rum-
pelte über eine Unebenheit und der Wind zerrte an seinen Haaren. Julian schluckte.

„Na, alles klar?", rief Kim, die neben ihm in der Achterbahn saß.

Julian nickte angestrengt.

„Mach die Augen auf, wir haben eine tolle Sicht auf
Siebenthann!", schrie Kim begeistert. „Ach, ich liebe
Achterbahnfahren!"

„Ich auch!", brüllte Leon, der hinter den beiden saß.
„Jetzt sind wir gleich ganz oben!"

Julian wagte es, ein Auge zu öffnen. Er schaute auf
das Jahrmarktsgelände mit dem Riesenrad und der Was-

serbahn, erhaschte einen Blick auf das alte Bartholomäuskloster und die Stadtmauer, er sah ihre Schule, den
Sportplatz, das Schwimmbad … Dann schien der Zug
urplötzlich ins Nichts zu fallen. Julian schrie auf, während er in einem Höllentempo in eine Senke schoss.
Schon ging es wieder bergauf, sie jagten auf den nächsten Gipfel aus Stahl zu – und Julian war sich sicher, dass
der Zug auf der Kuppe abheben und geradewegs durch
das Riesenrad fliegen würde wie eine Raubkatze, die
durch einen Ring springt. Doch er nahm eine halsbre-
cherische Kurve, drehte sich in einer Spirale mehrfach
um die eigene Achse, sauste eine weitere Anhöhe hinauf
und stürzte sich dann in einen Looping. Nun folgte eine
längere Gerade, dann wieder eine scharfe Kurve, hinter
der die Umrisse des Kassenhäuschens auftauchten. Eine
Bremse jaulte auf und der Zug wurde so abrupt abge-
bremst, dass Julians Kopf nach vorn flog. Endlich stand
der Höllenzug. Es zischte, und Julian konnte den Si-
cherheitsbügel nach oben drücken. Er atmete einmal
tief durch und sprang aus dem Wagen.

„Noch mal!", rief Leon vergnügt.

Julian tippte sich an die Stirn. „Ne, mir reicht's." Er
war froh, die Fahrt heil überstanden zu haben, und
würde um nichts in der Welt noch einmal einen Fuß in
die Achterbahn setzen. „Außerdem habe ich kaum noch
Geld!", fügte er hinzu.

„Geht mir auch so", sagte Kim. „So'n Mist, dass die Achterbahn immer so teuer ist!"

Die drei Freunde begannen, über den Jahrmarkt zu schlendern, der jedes Jahr im Juni in dem mittelalterlichen Städtchen Siebenthann stattfand.

An einem Stand mit Süßigkeiten kaufte Kim sich Zuckerwatte. Julian entschied sich für einen Paradiesapfel, Leon für eine mit Schokolade überzogene Banane.

„Seht mal da drüben", sagte Kim und deutete auf einen kleinen Wohnwagen, der dunkelblau gestrichen und mit einer Kristallkugel verziert war. Er kauerte unscheinbar zwischen einem glitzernden Autoskooter und einer riesigen Losbude. „Ein Blick in die Zukunft – fragen Sie Fatima" stand in goldenen Buchstaben auf einem Schild neben der Tür.

„Eine Wahrsagerin." Leon grinste. „Jemand, der in die Zukunft schaut oder dir aus der Hand liest. Dass es so was überhaupt noch gibt …"

„Warum denn nicht?", fragte Kim. „Ich finde das so richtig schön altmodisch."

„Wer glaubt denn schon an so was?", erwiderte Leon.

Gerade stieg ein Mädchen die vier Stufen zum Eingang hinauf und klopfte an die Tür.

Kim sah Leon herausfordernd an. „Na, siehst du?"

Leon schüttelte nur den Kopf und biss in seine Banane.

„Früher hatte die Wahrsagerei einen höheren Stellenwert", meldete sich Julian zu Wort. „Denkt nur an das *Orakel* von *Delphi* im antiken Griechenland!"

Leon winkte ab. „Ach, das war bestimmt genauso ein Hokuspokus wie heute", sagte er geringschätzig.

„Na ja", widersprach Julian. „Immerhin haben damals sogar Könige den Sprüchen des Orakels vertraut!"

Kim sah ihn interessiert an. „Echt?"

„Klar", entgegnete Julian. „Irgendwo habe ich mal gelesen, dass selbst Alexander der Große auf das Orakel gehört hat."

Leon verdrehte die Augen. „Also, das kann ich mir nun wirklich nicht vorstellen! Alexander der Große war doch nicht nur ein großer Feldherr, sondern bestimmt auch so gebildet, dass er sich nicht von einem solchen Blödsinn beeinflussen ließ."

„Warum überprüfen wir das nicht einfach?", fragte Kim. „Geld für die Achterbahn haben wir sowieso keins mehr – und der Tag hat gerade erst angefangen!"

Julians Augen begannen zu leuchten. „Du meinst, wir sollten uns ein wenig in unserer Bibliothek umsehen?"

„Genau das! Was meinst du, Leon?"

Leon nickte. „Ich bin dabei!"

„Prima!", rief Kim. „Lasst uns nur noch schnell Kija holen. Ihr ist bestimmt schon langweilig!"

Eine Stunde später liefen Kim, Leon, Julian und die Katze Kija über das Kopfsteinpflaster der Straße, die hinauf zum Bartholomäuskloster führte. Vor den Wirtshäusern und der Eisdiele „Venezia" saßen Einheimische und Touristen und genossen das schöne Wetter. Doch für einen der sensationellen Eisbecher im „Venezia" hatten die Freunde jetzt weder Zeit noch Geld. Kurz darauf standen sie vor den mächtigen Klostermauern, die auch die uralte Bibliothek beherbergten, zu der Julian einen Schlüssel besaß. Es war Sonntag, und die Säle lagen verlassen im Licht der frühsommerlichen Sonne, das durch die Fenster flutete.

Julian legte einen Finger auf die Lippen. „Hm, die Bände über Griechenland müssten eigentlich da hinten sein – bei den Büchern über die Antike." Zielstrebig führte er seine Freunde zu einem hohen Regal.

„Bingo!", rief er wenig später zufrieden und zog einen dicken Wälzer über Alexander den Großen heraus.

Gleich daneben stieß Kim auf ein schmales Büchlein, das sich speziell mit dem Orakel von Delphi beschäftigte. Mit ihrer Beute verzog sie sich an ein Lesepult am Fenster. Kija sprang auf den Tisch und schaute ihr interessiert dabei zu, wie sie die ersten Seiten aufschlug. Dort stand zunächst einiges über die geografische Lage der Orakelstätte. Sie thronte am Südhang des *Parnassos,* einem 2457 Meter hohen Gebirgsmassiv in der mit-

13

telgriechischen Landschaft *Phokis*. Kim blätterte weiter. Plötzlich wurden ihre Augen groß. Laut las sie vor: „Das Orakel galt bei den alten Griechen als der Mittelpunkt der Welt. Zunächst wurde dort die Erdgöttin *Gaia* verehrt, ab dem 8. Jahrhundert vor Christus dann der mächtige Gott *Apollon*."

Julian nickte. „Apollon, der Gott des Lichts …"

„… und der Weissagung, der Musik, der sittlichen Reinheit, des Rechts, des Frühlings und der Dichtkunst", ergänzte Kim. „Dieser Gott war offensichtlich für viele Bereiche zuständig."

„Allerdings", bestätigte Julian. „Apollon war ein sehr wichtiger Gott. Dennoch war er nur einer von vielen. Die Griechen hatten jede Menge Götter." Dann vertiefte er sich wieder mit Leon in die Biografie über Alexander den Großen.

„Habt ihr gewusst, dass nur Frauen die Sprüche des Orakels verkündeten?", ließ sich Kim nach einer Weile wieder vernehmen.

„Nö", gaben Julian und Leon zu.

„Steht hier", sagte Kim zufrieden. „Das Orakel wurde immer von einer Priesterin, einer *Pythia*, gesprochen! Der Gott Apollon nutzte die Pythia sozusagen als Medium, um den Menschen etwas mitzuteilen!"

„Warum durften nur Frauen weissagen?", hakte Julian nach.

Kim las ein Stück weiter, bevor sie antwortete: „Nun, scheinbar galten bei den alten Griechen nur die Frauen als rein und gut genug, um die Worte des Gottes zu empfangen."

„Na ja", grummelte Julian.

„Aber nur Männer durften das Orakel befragen", fuhr Kim mit einem Lächeln fort. „Denn sie waren, so steht es hier jedenfalls, im antiken Griechenland der Herr im Hause und für das Wohlergehen der Familie verantwortlich. Also durften auch nur sie einen Blick in die Zukunft der Familie wagen. Und noch etwas: Das Orakel wurde von einem Mann geleitet – einem Oberpriester, der auch so eine Art Bürgermeister von Delphi war."

Julian, Kim und Leon lasen weiter.

„Ha!", stieß Julian kurz darauf hervor und rammte Leon spielerisch den Ellenbogen in die Seite.

„Aua, was soll das?", rief dieser ärgerlich.

Triumphierend las Julian vor: „Alexanders Vater Philipp wurde ermordet und Alexander stand plötzlich an der Spitze des Königreichs *Makedonien*. Damals war er erst 20 Jahre alt." Sein Finger huschte über die Zeilen und machte dann bei einem Satz halt. „Gleich nach der Machtübernahme suchte der tiefreligiöse König im Jahr 336 vor Christus das berühmte Orakel auf, um sich beraten zu lassen!"

Leon war überrascht. „Das hätte ich nun wirklich nicht gedacht ..."

„Hier steht, dass Alexander wirklich auf die Pythia gehört hat", erklärte Julian. „Er soll wichtige Entscheidungen von ihren Worten abhängig gemacht haben!"

„Toll!" Kim war begeistert. „Diese Pythien müssen sehr einflussreiche Frauen gewesen sein! Denn sie waren es wohl, die über das Schicksal des griechischen Volkes entschieden haben! Mal sehen, ob ich noch was über sie in meinem Buch finde."

„Ich weiß nicht", murmelte Leon. „Das klingt mir alles viel zu sehr nach Hokuspokus."

Julian schwieg und las weiter.

„Mann!", rief Kim plötzlich so laut, dass Kija, die sich auf dem Pult zusammengerollt hatte, aufsprang. „Ein Fluch, es gab einen Fluch des Orakels. Die Pythien mussten ihr Leben dem Gott Apollon weihen. Sie durften nicht heiraten. Wer gegen dieses Gesetz verstieß, den traf der Fluch des Orakels ..." Kims Stimme bebte, als sie fortfuhr: „Apollon war der Gott des Lichts. Wer ihn hinterging, den schickte er in die ewige Schattenwelt, in das grauenvolle Reich von *Erebos*. Erebos war der Gott der Finsternis! In seiner Welt gab es kein Licht, kein Leben, nur Tod und Verderben ..."

Julian zog die Augenbrauen hoch. „Klingt reichlich gruselig." Nachdenklich streichelte Kim die Katze. Kija miaute leise und warf ihr einen unergründlichen Blick aus ihren smaragdgrünen Augen zu.

„Äh, Jungs", sagte Kim. „Was haltet ihr davon, wenn wir ..."

„... der Sache auf den Grund gehen?", vollendete Leon den Satz aufgeregt. „Das ist eine sehr gute Idee. Denn ich kann mir immer noch nicht vorstellen, dass dieses Orakel so wichtig und mächtig war."

Auch Julian war einverstanden. „Gut, wir werden herausfinden, ob sich Alexander tatsächlich von der Pythia beeinflussen ließ. Dazu sollten wir in das Jahr 336 vor Christus reisen."

„Und wenn wir schon mal da sind, können wir auch gleich überprüfen, was es mit diesem Fluch auf sich hat", ergänzte Kim.

Julian zögerte. Ein mächtiger Gott, ein verheerender Fluch, eine Welt ohne Licht ...

Leon, Kim und Kija liefen bereits in den angrenzenden Raum. Dort befand sich der Zugang zu Tempus, dem unheimlichen Zeit-Raum. Er war das Tor zur Geschichte, zu geheimnisvollen Welten, zu neuen Abenteuern. Julian gab sich einen Ruck und lief den anderen hinterher.

Gemeinsam schoben die Freunde das schwere Bücherregal auf der im Boden verborgenen Schiene zur Seite. Dahinter erschien das finstere Portal von Tempus. Es war übersät mit dämonischen Fratzen. Hinter dem Portal heulte ein Sturm.

Kim drückte die Klinke hinunter und das Tor schwang auf. Augenblicklich ergriff ein scharfer Wind die Freunde und zog sie in die bläulich schimmernde Welt des Zeit-Raums. Der Boden pulsierte schneller als sonst, es war ein rasender Herzschlag, wie der eines fliehenden Tieres. Die Freunde hatten Mühe, sich auf den Beinen zu halten. Nur Kija glitt elegant und sicher über den unruhigen Untergrund. Eilig lief sie durch den wabernden Nebel an den unendlich vielen Türen mit den einzelnen Jahreszahlen vorbei und führte die Freunde zu dem Tor, das sie suchten, aber vermutlich ohne Kijas Hilfe nicht gefunden hätten: Über dieser Tür prangte die Zahl 336 vor Christus! Ohne zu zögern, zog Leon die Pforte auf. Dahinter war nichts als Schwärze, als hätte Leon das Fenster zu einer mondlosen Nacht geöffnet.

Die Welt der Finsternis, die Welt von Erebos, dachte Julian erschrocken. Er spürte eine Hand auf seiner Schulter und zuckte zusammen. Es war Kim, die ihm zuzwinkerte. Julian hatte sich wieder im Griff, er wusste, was zu tun war. Die Freunde fassten sich an den Händen und konzentrierten sich intensiv auf Delphi. Nur so war gewährleistet, dass Tempus sie auch an den richtigen Ort brachte. Dann schritten sie mit klopfenden Herzen durch die Tür – und stürzten ins Bodenlose.

Der Seher

Gleißendes Licht blendete sie. „Wo, wo sind wir?",
stammelte Julian. Er beschattete die Augen mit der
Hand. Langsam gewann die Umgebung an Kontur. Eine
mächtige, schiefergraue Gebirgskette vor einem strah-
lend blauen Himmel tauchte auf.

„Was für eine Frage!", rief Kim. „Wir sind in Delphi,
da vorn ist die Orakelstätte!" Aufgeregt deutete sie auf
eine große Tempelanlage, die unterhalb von zwei baum-
losen, gewaltigen Bergen auf einem Hochplateau lag.
Bunte Tempel reihten sich aneinander und wurden von
einer Mauer umschlossen. Inmitten seiner felsigen,
grauen Umgebung wirkte der Ort wie eine schillernde
Brosche im Faltenwurf der gebirgigen Landschaft.

„Die beiden Felsen müssen *Rhodini* und *Phlembukos* sein!" Kim erinnerte sich an das Buch, in dem sie
vorhin gelesen hatte. „Das Bergmassiv dahinter heißt
Parnassos! Und der Fluss da vorn muss der *Pleistos*
sein!" Der Fluss wand sich durch ein silbergrünes Tal
mit unzähligen Olivenbäumen.

„Wir scheinen also wirklich in Delphi zu sein", sagte Julian und drehte sich um. „Und es sieht so aus, als wären wir durch diesen Olivenbaum angekommen."

Leon fuhr mit den Fingern über die schorfige Rinde des breiten, gedrungenen Baumes. „Den müssen wir uns für unsere Rückreise merken."

„Kein Problem", sagte Julian, dessen Augen sich inzwischen an das helle Sonnenlicht gewöhnt hatten. „Dieser große Olivenbaum ist wirklich sehr auffällig. Hat jemand eine Idee, wie wir in die Tempelanlage hineinkommen? Die Mauer sieht nicht besonders einladend aus ..."

„Wir sollten es einfach mal probieren", schlug Kim vor. „Auf dem Weg da vorn ist jede Menge los. Die Leute laufen alle auf das Orakel zu. Wir mischen uns unter das Volk."

„Genau", stimmte Julian ihr zu. „Besonders auffallen dürften wir nicht. Für die richtige Kleidung hat Tempus gesorgt."

Leon sah an sich hinunter. Statt Jeans und T-Shirt trug er nun einen *Chiton*, ein kurzes, röhrenförmiges Gewand, das an den Schultern zusammengenäht war. Julian und Kim trugen die gleiche einfache Mode wie Leon.

Kim hatte außerdem ein *Kredemnon*, ein Kopftuch, das sie bei Bedarf vor der Sonne schützen würde.

Die Freunde liefen zum Weg, der von Lorbeer- und Oleanderbüschen gesäumt war. Julian, der als Letzter ging, konnte sich an der schönen Umgebung mit ihren Pinien, Olivenbäumen, Fichten und Zypressen nicht sattsehen.

Der Frühling hatte längst Einzug gehalten, die Luft war mild und voller würziger Gerüche. Die Landschaft, der in der Sonne glitzernde Fluss, die Tempel, deren kunterbunte Säulen und Dächer sich schimmernd von den kahlen Felsen dahinter abhoben – all das war so friedlich, dass Julian fast über sich gelacht hätte. Was hatte er vorhin noch für Angst gehabt!

Eine Hand legte sich auf seine Schulter und ließ seinen Atem stocken. Der Junge schoss herum und starrte in das unrasierte Gesicht eines jungen Mannes. Auch er war mit einem Chiton bekleidet, trug darüber aber noch ein *Himation*, einen Überwurf.

„Beim *Zeus*, wen haben wir denn hier?", fragte der Mann lauernd. Sein Blick war kalt und starr – wie der einer Schlange.

Julian alarmierte seine Freunde mit einem Pfiff. Sofort drehten sie um und kamen zu ihm.

„Schon gut, schon gut", rief der Fremde und lachte spöttisch. „Ich will euch nichts tun. Rauben könnte ich euch auch nichts, denn ihr scheint nichts zu besitzen. Ich finde es nur ungewöhnlich, dass ihr nicht auf dem

21

Weg geht. Jeder benutzt den Weg. Es sei denn, er hat etwas zu verbergen …"

„Auch du benutzt nicht den Weg", entgegnete Kim kühl.

„Richtig", gab der Mann zu. „Aber ich habe einen guten Grund dafür." Er deutete mit dem Daumen auf den Bogen, der über seiner Schulter hing. „Ich war auf der Jagd. Leider erfolglos. Und da habe ich euch an dem Olivenbaum gesehen. Urplötzlich wart ihr da. Seltsam, wie aus dem Nichts … Das kam mir verdächtig vor."

Julian überlegte fieberhaft. Hatte der Mann beobachtet, wie sie aus dem Olivenbaum gekommen waren?

„Wir, wir haben nichts zu verbergen", stammelte er rasch. „Wir hatten nur Hunger und haben nach ein paar Wurzeln gesucht."

Der Fremde nahm die Hand von Julians Schulter. „Ach so", sagte er, und die Kälte wich aus seinen Augen. Offenbar schien ihm die Antwort zu reichen. Er runzelte die Stirn, als ob er scharf nachdenken würde. „Ich bin übrigens Medias, der Seher, und komme aus Delphi", sagte er schließlich.

„Ein Seher?", fragte Julian überrascht. „Also jemand, der in die Zukunft schauen kann?"

„Du sagst es."

Julian hob die Augenbrauen. „Ich dachte, nur Frauen dürften das in Delphi – die Pythien …"

Der Seher lachte. „Da musst du schon genau unterscheiden, mein Junge. Eine Pythia verkündet nur den Willen des Gottes Apollon, ein Seher dagegen ist niemandem verpflichtet. Ich erkenne an den Linien der Hand, wie es um die Zukunft des Menschen bestellt ist, der meinen Rat sucht. Diese Kunst hat mir meine Mutter beigebracht."

„Ach so", erwiderte Julian wenig beeindruckt. An die Kunst des Aus-der-Hand-Lesens glaubte er ebenso wenig wie an die Wahrsagerei. Er hielt Medias für einen Schwindler. Aber das ließ er sich nicht anmerken, sondern stellte seine Freunde und sich selbst vor. Wie immer in diesen Momenten erzählte er eine rührselige Geschichte, wonach sie bei einem Überfall ihre Eltern verloren hätten.

„Tja, und nun hoffen wir in Delphi Arbeit und ein Dach über dem Kopf zu finden", schloss Julian seinen Bericht.

„Und natürlich wollen wir auch vom Orakel erfahren, wie es um unsere Zukunft bestellt ist", ergänzte Kim. „Aber das könnten wir vielleicht auch dich fragen – du bist ja schließlich ein Seher."

Geschmeichelt nickte Medias. „Richtig, beim Apollon. Aber das ist nicht umsonst. Ich lebe davon." Er deutete auf den Weg, wo viele Menschen in Richtung der Tempel liefen. „Und wie es aussieht, werde ich gute

Geschäfte machen. Jedes Jahr kommen mehr Wallfahrer hierher. Und jetzt hat auch noch Alexander, der König von Makedonien, sein Kommen zugesagt. Das lockt noch mehr Pilger hierher. Kann mir nur recht sein." Er steuerte auf den Weg zu. Die Freunde folgten ihm unaufgefordert.

„Hervorragend", flüsterte Kim Julian und Leon zu. „Offenbar steht Alexanders Ankunft unmittelbar bevor!"

„He, was tuschelt ihr da?", fragte Medias unwirsch. Er schien über ein hervorragendes Gehör zu verfügen.

„Oh, nichts weiter", sagte Kim schnell und fragte: „Ist das Orakel nicht eine große Konkurrenz für dich als Seher?"

„Nein, denn bevor die Leute das Orakel befragen, lassen sie sich von mir aus der Hand lesen", erwiderte Medias listig. „Sie wollen wissen, ob der Orakelspruch gut für sie ausfallen wird."

Hinter Medias' Rücken tippte sich Leon an die Stirn.

„Dürfen wir dich in die Stadt begleiten?", wollte Kim wissen und warf Medias einen unschuldigen Blick zu.

„Weiß nicht, was soll ich mit euch?", erwiderte der Seher.

Kim schob die Unterlippe vor und schniefte. „So ein Pech für uns Waisen. Wir haben doch niemanden …"

„Schon gut." Medias seufzte. „Ihr könnt eine Nacht

bei mir unterschlüpfen. Viel zu gutmütig bin ich, jawohl."

„Danke!", rief Kim.

„Alte Schleimerin!", lästerte Leon so leise, dass es sogar Medias' scharfen Ohren verborgen blieb.

„Sag nichts", wisperte Kim vergnügt. „Ich habe uns soeben eine Unterkunft besorgt!"

Doch Julian blieb lieber vorsichtig. Ihm war Medias' Freundlichkeit nicht geheuer. „Ich bin mir nicht so sicher, ob wir Medias trauen dürfen. Wer sagt uns, dass er wirklich auf der Jagd war?", zischte er. „Vielleicht will er uns in eine Falle locken!"

„Ach was", sagte Kim.

„Du bist zu leichtgläubig", entgegnete Julian. „Womöglich will er uns als Sklaven verkaufen. Denk nur an unser Abenteuer in der Mongolei, als wir das Grab des Dschingis Khan gesucht haben!"

Nachdenklich schwieg Kim. Die Freunde beschlossen, auf der Hut zu sein.

Und so führte Medias sie zur Orakelstätte. Vor den starken Mauern des heiligen Tempelbereichs war eine kleine Stadt entstanden. Links vom stetig ansteigenden Weg erhob sich ein länglicher Bau – das Stadion, in dem Wagenrennen stattfanden, wie ihnen Medias erklärte. Rechts von ihnen, unten am Fluss, lag ein Steinbruch, aus dem monotones Geklopfe zu ihnen heraufdrang.

Die Häuser der kleinen Stadt ähnelten sich: zweige-schossige Bauten aus Lehmziegeln mit kleinen Fenstern und leicht schrägen Ziegeldächern. Vorbei an mehreren einfachen Herbergen gelangten die Freunde zur *Agora*, dem Marktplatz. Auf niedrigen Tischen oder direkt auf dem Boden hatten Lebensmittelhändler ihre Waren aus-gebreitet und brüllten um die Wette, um Kundschaft anzulocken. Bei ihnen gab es warmes Brot, duftenden Honigkuchen oder saftige Feigen. Ein Mädchen lief he-rum und bot hübsche Blumenkränze an. Ein Mann ver-suchte wundersame Salben zu verkaufen.

In einer Säulenhalle saßen Geldverleiher und warte-ten auf Kundschaft. Daneben lag eine Töpferei mit einem großen Brennofen. Ein alter Mann hockte unter einem strohgedeckten Vordach und bot zierliche Par-fümbehälter aus Ton an. Gegenüber drang ein Fauchen aus einer Werkstatt: Ein Schmied fachte sein Feuer mit einem Blasebalg an.

„Hätte nie gedacht, dass hier so viel los ist", gab Kim zu. Sie hatte sich das Orakel als einen Ort der Ruhe, Be-sinnung und Einkehr vorgestellt – und nicht als ein pul-sierendes Geschäftszentrum.

Von der Agora führte ein Weg ein Stück bergauf zur Tempelanlage. Hinter der Mauer waren elegante Sta-tuen mit Götterbildnissen, Tier-Figuren, ein Theater und ein länglicher Tempel zu sehen, dessen Dach von schlanken Säulen getragen wurde. An den Ecken des Giebels stand je ein goldener *Akroter*, der Apollon zeigte.

„Das ist wohl der Apollon-Tempel", sagte Kim aufgeregt. „Am liebsten würde ich sofort das Orakel befragen. Ich bin so neugierig."

Medias lachte auf. „So einfach geht das nicht, beim Apollon! Dutzende von Pilgern werden vor euch dran sein, ihr müsst euch anstellen. Außerdem müsst ihr den *Pelanos* entrichten!"

„Den was?", fragte Leon.

Medias blickte in den blauen Himmel. „Oje, ihr habt wirklich überhaupt keine Ahnung. Den Pelanos müsst ihr zahlen, damit ihr zum Orakel vorgelassen werdet. Was glaubt ihr, warum die *Schatzhäuser* in Delphi so gut gefüllt sind? Jede Stadt spendet reichlich, um Apollon gnädig zu stimmen, und füllt die Schatzhäuser." Er senkte die Stimme. „Das Ganze ist eine ziemliche Geschäftemacherei. Aber ich muss aufpassen, was ich sage ..."

Er schob die Kinder in eine einfache Wirtschaft namens „Zum *Dionysos*" an der Agora, bugsierte sie an einen Holztisch in der hintersten Ecke und bestellte bei dem unfreundlichen Wirt Brot, Ziegenkäse und einen Linseneintopf mit vier Schalen sowie einen kleinen Krug Wein und einen großen mit Wasser.

„Ja, ja, das ist wirklich eine elende Geschäftemacherei", murmelte Medias. „Der Pelanos wird ständig erhöht und die Priester reiben sich die Hände. Delphi ist reich, unendlich reich …"

„Was redest du denn da für einen Unsinn, Medias?", dröhnte eine Stimme hinter dem Seher. Wie aus dem Nichts war der Wirt wieder aufgetaucht, eine *Oinochoe* mit Wein und einen Becher in der Hand.

Medias erschrak und lächelte den Wirt unsicher an. Seine Stimme war plötzlich ungewöhnlich hell. „Nichts, ich habe heute nur – keinen besonders guten Tag."

„Hüte deine Zunge!", drohte der Wirt, während er einschenkte. „Was schlecht für das Orakel ist, ist auch schlecht für mich." Er beugte sich dicht zu Medias hinab. „Ich lasse nicht zu, dass es mir schlecht geht, weil einer wie du den Mund nicht halten kann! Hast du verstanden?"

Eilig nickte Medias. Endlich verschwand der Wirt.

„Ich dachte, das Orakel wird von einer Pythia gesprochen", sagte Kim. „Aber du hast gerade männliche Priester erwähnt."

Medias nickte. Er warf ein paar hektische Blicke in die Schankstube. Als er sicher sein konnte, dass ihn diesmal niemand belauschte, flüsterte er: „Die Pythia Irini verkündet Apollons Worte. Aber die *Prophetes*, also die Priester, kontrollieren sie. Außerdem …"

„Psst", machte Leon. Er hatte gesehen, dass der Wirt erneut auf ihren Tisch zusteuerte, diesmal mit einer Holzplatte in den Händen, auf der das Essen angerichtet war. Sie warteten, bis der Wirt zum nächsten Tisch ging.

Dann fuhr Medias fort: „Das ganze Orakel ist in heller Aufregung, seit bekannt ist, dass Alexander kommt! Auch er wird das Orakel befragen, und von Irinis Antwort hängt eine Menge ab!"

„Warum?", fragte Julian.

Medias senkte die Stimme noch weiter. Er war kaum noch zu verstehen. „Es droht Krieg, beim *Ares*", wisperte er. „Alexander ist König von Makedonien, aber das scheint ihm nicht zu reichen, wie man hört. Er will Athen und Theben angreifen und unter seine Herrschaft zwingen! Aber noch zögert Alexander offenbar. Vielleicht will er erst wissen, was die Pythia Irini sagt ..."

„Verstehe", sagte Julian langsam. „Und welche Rolle spielen die Priester?"

Medias blickte sich nach allen Seiten um. Dann trank er hastig einen Schluck Wein.

„Vergesst es", erwiderte Medias. „Ich will mir nicht den Mund verbrennen. Und jetzt esst, bevor ich es mir anders überlege."

Einige Minuten aßen sie schweigend. Kim löffelte lustlos den faden Eintopf.

„Hoffentlich lernen wir Irini einmal kennen", sagte sie. „Sie muss eine mächtige Frau sein. Hast du eine Idee, wo wir Arbeit finden können? Dann könnten wir den Pelanos vielleicht bezahlen."

„Leider nein", entgegnete Medias.

Kim seufzte. „Dann wird es schwierig, die Pythia kennenzulernen."

Medias sah von seiner Schüssel hoch. „Eigentlich nicht. Denn Irini wäscht sich jeden Morgen an der *Kastalischen Quelle*. Das gehört zu ihren heiligen Pflichten. Da ist sie allein."

Kim spitzte die Ohren. „Wo liegt diese Quelle?"

„Gleich über der Tempelanlage. Zwischen den Felsen oberhalb der *Papadia-Schlucht*."

Kim warf ihren Freunden einen Blick zu. Ohne ein Wort wechseln zu müssen, was klar, dass sie morgen Früh zur Quelle gehen würden. Sie war aufgeregt. Eine einflussreiche Pythia, einige geldgierige Priester, ein machthungriger König und eine unmittelbar bevorstehende Prophezeiung von womöglich entscheidender Bedeutung – Delphi war nicht der friedliche, stille Ort, den sie sich vorgestellt hatte.

Spurlos verschwunden

Am nächsten Morgen wurden die Freunde von der Sonne geweckt. Die ersten Strahlen fielen durch das winzige Fenster in die schmucklose Kammer, in der Julian, Kim und Leon untergebracht worden waren. Die Nacht hatten sie auf dünnen Binsenmatten verbracht, die neben einem roh gezimmerten Tisch, einer Truhe und einem Öllämpchen die einzige Einrichtung des Zimmers bildeten. Medias' Haus war klein und einfach, aber sauber. Mit der Wahrsagerei schien er nicht viel zu verdienen. Die Freunde suchten ihren Gastgeber, konnten ihn aber nirgends entdecken. Vor dem Haus stießen sie auf einen Brunnen. Sie wuschen sich Gesicht und Hände und tranken von dem kühlen Wasser.

„Seht nur, wie die Felsen leuchten!", rief Leon begeistert. Er deutete auf Rhodini und Phlembukos, die im Licht der aufgehenden Sonne rötlich schimmerten.

„Lasst uns die Quelle suchen!", drängte Kim. „Sonst ist Irini vielleicht schon weg."

Ein steiniger Trampelpfad wand sich den Berg hinauf und gab immer wieder den Blick auf die steile Papadia-Schlucht frei. Wenn die Freunde einen Blick über die Schulter warfen, blickten sie hinab auf das mit Olivenbäumen bestandene silbergrüne Tal des Pleistos – und auf die Tempelanlage, in deren Zentrum das riesige Heiligtum des Apollon stand. Der Tempel mit den vielen Säulen thronte erhaben inmitten von Häusern und Statuen. Julian konnte sich kaum sattsehen. Es war, als würde man auf ein herrliches Museum hinunterblicken. Elegante, reich verzierte Tempel, manche rund, manche rechteckig, reihten sich in allen nur erdenklichen Farben aneinander. Dazwischen befanden sich längliche Säulenhallen, vor denen stattliche Figuren standen, die vermutlich Krieger oder Götter darstellten. Hinzu kamen viele unterschiedliche bronzene Statuen mit Frauenbildnissen oder mächtigen Tierfiguren. Julian kam aus dem Staunen nicht mehr heraus. Erst als er über eine Wurzel stolperte, richtete er den Blick wieder nach vorn auf den Weg.

Nach einem kurzen, aber anstrengenden Anstieg gelangten die Freunde zu einer idyllisch gelegenen Quelle. Das klare Wasser sprudelte aus einem Fels, um den sich dichte Ginsterbüsche gruppierten. Es roch nach wildem Thymian. Bienen summten herum. Aber von der Pythia war weit und breit nichts zu sehen.

„Vielleicht sind wir zu früh dran", überlegte Kim und setzte sich auf einen klobigen Stein.

Leon ging zur Quelle und ließ das kühle Wasser über seine Hände rieseln. Plötzlich stutzte er. Neben der Quelle hatte er auf einem hellen Stein einen dunklen ovalen Fleck entdeckt. Leon trocknete die Hände an seinem Chiton ab und berührte vorsichtig die Flüssigkeit auf dem Stein. War es etwa Blut?

„Schnell, schaut mal!", alarmierte er seine Freunde.

Kim, Leon und Kija kamen zu ihm.

„Könnte tatsächlich Blut sein", sagte Leon erschrocken. „Was ist hier passiert?"

„Ein Unfall", mutmaßte Julian. „Vielleicht ist jemand gestürzt und hat sich das Knie aufgeschlagen."

„Hier sind noch mehr Blutspritzer", rief Kim in diesem Moment. Sie hatte Recht. Die Spur führte zwischen zwei hohen Büschen hindurch zu einer kleinen freien Stelle und hörte dort auf. „Seht mal, Pferdespuren!" Kim deutete auf den sandigen Boden. Sie dachte angestrengt nach. „Das war kein Unfall", sagte sie schließlich überzeugt. „Hier ist ein Verbrechen passiert! Der Täter kam zu Pferd und hat sich hier hinter den Büschen versteckt."

In diesem Moment maunzte Kija aufgeregt. Es war einer dieser Maunzer, die von den Freunden höchste Aufmerksamkeit einforderten. Sofort schauten Kim, Leon und Julian zu der Katze. Kija hockte vor

einem der Büsche etwas oberhalb der Quelle. Die Freunde gingen zu ihr.

„Da hängt etwas." Julian zupfte schwarze Wolle von einem Ast. „Könnte von einem Schaf stammen." Ratlos blickte er Kija an. „Was soll ich damit?"

„Vielleicht war ein Hirte in der Nähe, als der Überfall geschah. Also gibt es womöglich einen Zeugen für das, was hier vorgefallen ist!", rief Kim.

„Gut kombiniert!" Julian steckte die Wolle ein.

„Wir müssen zum Tempel und Alarm schlagen!", sagte Kim.

„Warte!", stoppte Leon sie. „Habt ihr das auch gehört?"

Ein Wiehern drang an ihre Ohren. Die Freunde tauschten erschrockene Blicke aus.

„Ob das die Pferde der Täter sind?" Kim sprach das aus, was alle dachten. Gehetzt sahen sie sich um, konnten aber kein Pferd entdecken. Da sprang Kija auf einen Fels und miaute laut. Die Freunde kletterten ihr hinterher und hatten nun einen guten Blick auf den Weg, der sich zur Tempelanlage hinunterwand.

„Drei Reiter!", rief Leon aufgeregt.

Dicht gebeugt über die Pferde jagte das Trio den steilen Weg hinunter und zog eine Staubwolke hinter sich her. Leon glaubte zu erkennen, dass auf dem mittleren Pferd zwei Personen saßen – er war sich aber nicht sicher. Jetzt erreichten die Reiter eine Gabelung und bogen nach Osten ab.

„Die wollen gar nicht zum Orakel", sagte Julian. „Kein Wunder …"

„Aber wir sollten jetzt dorthin", unterbrach ihn Kim.

So schnell sie konnten, rannten sie den Weg hinunter. Am Tor zur Tempelanlage standen zwei mit Speeren bewaffnete *Hopliten*. Rasch machte Julian den Soldaten klar, dass man sie sofort durchlassen müsse.

„Wir bringen euch zu Korobios, dem Oberpriester", sagte einer der Hopliten und übernahm die Führung. So gelangten die Freunde auf die *Heilige Straße*. Die Pracht, die sich vor ihnen auftat, raubte ihnen den Atem. Gleich neben dem Tor stand das gewaltige Standbild eines Stiers aus Bronze.

„Den haben die *Kerkyräer* dem Orakel geschenkt, um Apollon gnädig zu stimmen", erklärte der Soldat.

Es folgten eine große Gruppe von Bronzestatuen, die verschiedene Schutzgötter darstellten und dann auf der linken Seite ein riesiges Pferd.

„Von der *Argivern*", erläuterte der Hoplit, der die Rolle des Fremdenführers offenbar gern übernahm. „Das Pferd haben sie Apollon geweiht – nach ihrem Sieg über die *Spartaner*."

Der Weg machte einen Bogen nach rechts und führte

leicht bergan. Die quadratischen fensterlosen Schatzhäuser reihten sich aneinander wie kleine Festungen
und verbargen ihr wertvolles Inneres vor neugierigen
Blicken. So gut wie jede griechische Stadt und jedes
Volk schien in Delphi ein Schatzhaus gebaut zu haben,
um die Götter zu beschenken und sich ihr Wohlwollen
zu sichern. Fasziniert folgten die Freunde dem Soldaten
und kamen am *Bouleuterion* vorbei, wo der Senat von
Delphi zusammentraf, wie der Hoplit sagte. Er führte
sie schließlich zum *Prytaneion*, dem Rathaus und befahl ihnen zu warten.

Von hier hatten die Kinder einen guten Blick auf
den gewaltigen Apollontempel in der Mitte der Anlage.
Neugierig schauten sich die Freunde den 60 Meter langen und 21 Meter breiten Tempel an. Das Dach ruhte
auf schmucklosen Säulen, die in *dorische Kapitelle*
mündeten. Der gesamte Tempel war nicht überladen,
sondern wirkte trotz seiner Größe eher bescheiden. Er
war ein nüchterner Ort der Götterverehrung, ein Ort
der Stille und Einkehr.

Kurz darauf huschte eine kleine, ausgemergelte Gestalt heran.

„Ich bin Androtion, einer der Priester", sagte er unwirsch und unnötig leise. Sein Blick war immer in Bewegung, der Mund verkniffen. Der Mann wirkte nervös.

„Folgt mir", näselte er und zog die Freunde in das

Prytaneion. Sie betraten einen angenehm kühlen Raum, in dem wegen der kleinen Fenster nur Dämmerlicht herrschte. Geräuschlos verschwand Androtion.

Hinter einem Tisch erhob sich ein großer, bärtiger Mann, der in einen schneeweißen Chiton gehüllt war. Auch sein Haar war weiß, er musste die sechzig längst hinter sich haben. Der Mann ließ seine dunklen Augen für einen Moment auf den Freunden ruhen. Julian, Kim und Leon wurden unter dem prüfenden Blick immer kleiner – der große Mann verströmte Macht und schien das genau zu wissen.

„Ich bin Korobios, der Oberpriester", sagte der Mann schließlich mit tiefer, harter Stimme. „Wer seid ihr?"

Julian schluckte. Er wusste, dass er wie üblich das Vorstellen übernehmen sollte. Leon und Kim waren der Meinung, dass er am besten reden konnte.

„Ich habe euch etwas gefragt!", herrschte Korobios sie an.

Julian gab sich einen Ruck und tischte dem Oberpriester die Geschichte auf, die er auch Medias erzählt hatte. Danach berichtete er von ihren Beobachtungen an der Quelle.

Korobios nickte bedächtig, als Julian geendet hatte. „Drei Kinder und eine Katze – und ein böser Verdacht", sagte er besorgt. Das Kalte und Überhebliche war aus seinem Gesicht gewichen. „Die Blutspuren können natürlich auch von einem Tier stammen … Hm, aber es ist schon seltsam: Irini ging heute bei Tagesanbruch wie immer zur Quelle, ist aber bisher nicht zurückgekehrt. Und eigentlich müssten wir gleich mit den Orakelzeremonien beginnen. Die ersten Pilger warten schon an den Toren. Ich werde sofort einige Hopliten zur Quelle schicken, um Irini suchen zu lassen. Solange seid meine Gäste. Habt ihr Hunger?"

Die Freunde nickten. Korobios gab einem Sklaven einige Anweisungen. Dann führte der Priester die Kinder ins angrenzende Zimmer, wo sie auf Bänken Platz nehmen durften und ihnen wenig später ofenwarmes Brot, Früchte und Milch angeboten wurden.

Während sie aßen, erzählte Korobios ihnen einiges über die Orakelstätte. „Delphi ist die wichtigste Orakelstätte des Landes. Von überall her kommen die Pilger zu uns, um den Worten Apollons zu lauschen, der durch den Mund der Pythia spricht oder sie dazu bringt, eine weiße oder schwarze Bohne aus einer Schale zu nehmen und damit eine Frage zu beantworten. Schwarz bedeutet Nein, Weiß heißt Ja. Aber das ist euch sicher bekannt."

Die Freunde taten so, als sei dies das Selbstverständlichste der Welt.

„Das Orakel hilft bei privaten, aber vor allem bei weitreichenden politischen Entscheidungen", fuhr Korobios fort und seine Stimme bekam wieder einen harten Klang. „Delphi ist das Zentrum der Macht, hier wird der göttliche Wille vollstreckt."

Beeindruckt schwiegen die Kinder.

Eine halbe Stunde später erschien ein Offizier und erstattete Meldung: „Es gibt tatsächlich Blutspuren an der Quelle", bestätigte der *Taxiarch*. „Aber ob sie von Irini stammen, können wir unmöglich sagen. Von ihr fehlt jede Spur."

Korobios schickte den Offizier weg. Für einen Moment senkte sich völlige Stille über den Raum mit den verspielten Mosaiken im Fußboden.

„Beim Apollon", murmelte Korobios schließlich. „Wo ist Irini nur hin?"

„Ihr ist bestimmt etwas zugestoßen!", rief Kim.

Der Priester sah sie scharf an. „Sei still!", ermahnte er sie. „Wir wissen nicht, von wem das Blut stammt. Das ist ein heiliger Ort und nicht der Platz für Gerede und Fantasien. Ich werde euch erlauben, im Tempelbezirk zu wohnen, aber ich möchte nicht, dass ihr Gerüchte verbreitet."

„Wir dürfen in der Tempelanlage bleiben?", fragte Julian erfreut.

Korobios nickte. „So ist es, beim Zeus. Aber ihr haltet eure Zungen im Zaum. Denn Gerüchte über Irini gibt es wahrlich schon genug."

Er erhob sich. „Und jetzt habe ich zu tun. Fragt bei den Sklaven nach, ob ihr euch nützlich machen könnt. Zu tun gibt es immer etwas! Sie sollen euch auch ein Zimmer im Gästehaus zuweisen. Es liegt gleich neben dem Prytaneion."

Sobald Korobios den Raum verlassen hatte, flüsterte Julian: „Was für Gerüchte über Irini hat er wohl gemeint?"

Leon zuckte die Schultern. „Keine Ahnung, dürfte aber nicht so schwer sein, das rauszufinden!"

Der Fluch

In den folgenden Stunden halfen die Kinder den Sklaven und fegten den Platz vor dem Apollontempel.

„Was für ein schöner Tempel." Julian staunte. Insgeheim hoffte er, den Tempel einmal betreten zu dürfen. Noch mehr hätte er dafür gegeben, einer Orakelzeremonie beizuwohnen. Aber daraus würde wohl so lange nichts werden, bis Irini wieder da war – oder eine andere Priesterin.

Am frühen Nachmittag übernahm ein weiterer Priester mit dem Namen Theodorus die Aufgabe, den Freunden ein Zimmerchen im Gästehaus zuzuweisen, das in Sichtweite des Apollontempels lag. Kim, Julian und Leon waren die einzigen Bewohner des einfachen Bauwerks.

Theodorus war ein rundlicher Mann mit buschigen Augenbrauen und Stirnglatze.

„Ich habe gehört, dass ihr eure Eltern verloren habt. Das tut mir sehr leid", sagte er bedrückt, während er mit einem Schmuckstück spielte, das an einem Leder-

band um seinen Hals hing. Es zeigte Apollon, der auf einer *Kithara* spielte. „Die Zeiten sind wirklich grausam. Ich bete zu Zeus, dass es nicht auch noch einen Krieg zwischen den Makedonen und den Thebanern gibt. Unser Land braucht Frieden. Nun, bald wird Alexander hier sein. Und ich glaube, dass unser Orakel ihn beeinflussen wird – hoffentlich in friedlichem Sinne. Außerdem …"

Er wurde von einem Sklaven unterbrochen, der in den Raum stürzte. „Theodorus, komm bitte ins Prytaneion. Korobios will allen etwas mitteilen."

Theodorus straffte die Schultern. „Na, da bin ich mal gespannt. Vielleicht hat man Irini gefunden."

„Dürfen wir mitkommen?", fragte Leon hoffnungsvoll.

Der Priester schüttelte den Kopf. Dann ging er mit eiligen Schritten davon.

„Mist", fluchte Leon. „Da wäre ich wirklich gern dabei gewesen."

„Vielleicht können wir ja ein bisschen die Ohren spitzen", sagte Kim mit einem unschuldigen Augenaufschlag.

„Du willst die Priester belauschen?"

„Was für ein hässliches Wort", erwiderte Kim grinsend. „Lasst uns doch einfach mal am Pryta-Dingsbums vorbeigehen."

„Prytaneion", verbesserte Julian und stöhnte leise. Dann aber folgte er Kim, Leon und Kija zum Rathaus.

Sie hatten Glück. Aus einem der offenen kleinen Fenster drang eine ihnen wohlbekannte Stimme – die von Korobios, dem Oberpriester. Die Freunde sahen sich vorsichtig um. Gerade war weit und breit niemand zu sehen. Wenn sie im Schatten der beiden Pinien blieben, die idealerweise gleich am Prytaneion wuchsen, konnten sie heimlich der Unterredung der Priester lauschen!

„Ich habe leider keine guten Neuigkeiten", sagte Korobios gerade ernst. „Von Irini fehlt nach wie vor jede Spur. Und es steht zu befürchten, dass uns alle der Fluch trifft!"

„Aber warum?", erklang nun die Stimme von Theodorus.

„Eine Pythia darf nur Apollon lieben, wie du weißt", antwortete Korobios. „Doch es hat den Anschein, als habe sich Irini in einen Sterblichen verliebt!"

Ein Raunen ging durch die Zuhörer.

„Nicht nur das", fuhr Korobios fort. „Es gibt Anzeichen, dass Irini mit ihrem Liebhaber geflohen ist. Und das bedeutet, dass Irini womöglich der Fluch des Orakels getroffen hat!

Unser Heiligtum ist dem Gott des Lichts geweiht – Apollon. Aber wer ihn hintergeht, der ist verdammt.

Ihn schickt Apollon in die Welt der ewigen Finsternis, in die Welt von Erebos. Unsere Aufgabe war es, das Orakel zu schützen. Wir hätten besser auf Irini aufpassen und sie vor schändlichen Einflüssen bewahren müssen. Doch das ist uns leider nicht gelungen. Wir haben versagt!"

Betretenes Schweigen trat ein.

„Was sollen wir tun?", fragte Theodorus schließlich kläglich.

„Betet", erwiderte Korobios so leise, dass die Freunde ihn kaum verstehen konnten. „Betet, dass Irini doch wiederkommt. Und wenn das bis morgen nicht der Fall ist, müssen wir eine neue Pythia bestimmen. Vielleicht können wir auch dadurch Apollon besänftigen. Und nun geht!"

Die Freunde nickten sich zu und rannten zurück zum Gästehaus. Dort kreuzte nur eine Minute später Theodorus auf.

„Oje", stöhnte der Priester. „Wie konnte es nur so weit kommen?"

„Was denn?", fragte Kim scheinheilig.

Theodorus suchte nach Worten. Dann berichtete er lediglich, dass Irini noch verschwunden sei. Er wirkte bedrückt und mutlos.

„Warte doch erst einmal ab", riet Kim. „Vielleicht wendet sich noch alles zum Guten."

Theodorus schüttelte den Kopf. „Nein, das glaube ich nicht. Die *Erinnyen* werden kommen und uns ...“

„Wer?“, fragte Kim.

Der Priester sah sie überrascht an. „Du kennst die Erinnyen nicht?“

„Nein“, gestand Kim.

Theodorus kratzte sich am Hinterkopf. „Wir müssen mehr für die Bildung unserer Kinder tun“, murmelte er. „Ich will es dir erklären: Die drei Rachegöttinnen *Alekto*, *Megaira* und *Tisiphone* sind grässliche Geschöpfe mit Flügeln. In ihre Haare sind Schlangen und Fackeln geflochten, aus ihren Augen rinnt Blut. Sie tragen Schwerter und Lanzen, aber ihre schlimmsten Waffen sind ihre Schreie: Sie sind so entsetzlich, dass einem das Herz stehen bleibt. Die Erinnyen schützen die Gesetze und die sittliche Ordnung und holen jeden, der dagegen verstößt!

Womöglich hat Apollon die Rachegöttinen nun geschickt, um unsere liebe Irini ins Land der Dunkelheit zu entführen ... Und uns droht dasselbe Schicksal: der Fluch des Orakels!“

„Beruhige dich“, bat Kim. „Noch ist es ja nicht so weit!“

„Ach, was weißt denn du schon?“, erwiderte Theodorus müde. „Und nun muss ich zu einem der Tore. Wir müssen den Pilgern beibringen, dass sie morgen wiederkommen sollen. Das wird Ärger geben." Schon machte sich der Priester auf den Weg.

Die Freunde verließen das Gästehaus ebenfalls und setzten sich in den Schatten eines Schatzhauses.

„Prima, Theodorus hat uns gar keine Arbeit zugeteilt", sagte Kim. Kija strich um ihre Beine, und das Mädchen zog sie auf seinen Schoß. „Also, ich glaube nicht an diesen Fluch. Hinter Irinis Verschwinden muss etwas anderes stecken."

„Das sehe ich auch so", stimmte Leon ihr zu. „Wir müssen endlich die Spur mit der Wolle weiterverfolgen. Wer war mit seiner Herde an der Quelle, als Irini verschwand?"

Julian schnippte mit den Fingern. „Das könnte Medias wissen. Er kennt doch angeblich jeden in Delphi. Lasst uns ihn befragen!"

Die Freunde schlüpften unbemerkt am Wachposten, der neben dem Tor des Tempelbezirkes stand und in ein Gespräch mit einem Pilger vertieft war, vorbei und liefen zur Agora. Nach einigem Suchen fanden sie Medias schließlich in der Schenke „Dionysos". Der Seher hockte an einem Tisch und redete auf einen jüngeren und einen älteren Mann ein, die in wertvolle Stoffe gekleidet und offensichtlich sehr reich waren. Die Kinder wagten nicht zu stören, blieben aber in der Nähe und konnten der Unterhaltung lauschen. Zum Glück war der Wirt von anderen Gästen abgelenkt, sonst hätte er die Freunde sicher hinausgeworfen.

„Oh, edler Battos", sagte Medias gerade mit einem honigsüßen Lächeln. „Glaubt mir, meine Kunst der Wahrsagerei sucht ihresgleichen!"

Der Mann mit dem Namen Battos winkte ab. „Geschenkt! Wir wollen das Orakel befragen und nicht irgendeinen Seher."

„Aber das Orakel ist heute geschlossen", redete Medias weiter. Er wandte sich an den Jüngeren. „Was wollt ihr denn vom Orakel wissen, werter Philippos?"

Der junge Mann seufzte. „Ich soll heiraten!" Er warf Battos einen bösen Blick zu. „Und mein Vater hat die reiche Phano für mich ausgesucht. Doch sie ist furchtbar hässlich. Ich liebe die schöne Eleftheria, die …"

„… völlig verarmt ist", ergänzte sein Vater streng. „Eine solche Hochzeit wäre vollkommen nutzlos!"

„Ich sehe schon", säuselte Medias. „Das ist eine ernste Angelegenheit. Genau das Richtige für mich. Für ein paar *Drachmen* will ich gern für euch die Götter befragen, welche Entscheidung richtig ist – die für das Herz oder die für den Geldbeutel."

Ruckartig erhob sich Battos und schob die Reste des Essens in die Tischmitte. „Genug geredet, wir gehen jetzt. Komm schon, Philippos!"

Widerwillig folgte Philippos seinem Vater aus der Schenke.

Ergeben hob Medias die Schultern. Dann wandte er sich an die Freunde. „Wo kommt ihr denn jetzt her? Nicht, dass ich euch vermisst hätte, aber ich hatte wenigstens Dank von euch erwartet."

Julian berichtete, was sich inzwischen alles ereignet hatte.

„Wunderbar, dann seid ihr ja jetzt versorgt", rief Medias. „Und ich hoffe, dass ich heute auch noch Glück habe. Dieser Battos ließ sich einfach nicht überzeugen, dass die Zukunft seines Sohnes in meinen Händen liegt!"

„Wo kommen Battos und Philippos her?", wollte Leon wissen.

„Aus *Tyros*", antwortete Medias. „Battos ist dort ein reicher Kaufmann. Sagt er jedenfalls, der alte Geizhals!"

Nun begann Julian, das Gespräch auf ihr Ziel hinzulenken. Und sie hatten Glück: Medias kannte tatsächlich jeden Hirten in Delphi. „Der alte Sitalkes treibt seine Herde gern zur Kastalischen Quelle. Gestern war er bestimmt auch dort. Als ich zur Jagd aufbrach, sah ich, wie er mit seinen Schafen in diese Richtung zog."

Plötzlich hatten es die Freunde sehr eilig, sich zu verabschieden. Sie ließen den verdutzten Medias in der

Schenke zurück und fragten sich zum Haus von Sitalkes durch. Es lag etwas abseits der Stadt auf einem Hügel und war von Getreidefeldern und einem Olivenhain umgeben. Die Hütte war ein einfacher Steinbau mit einem Brunnen davor. In einem Pferch drängten sich etwa fünfzig Schafe.

„Das sieht gut aus", sagte Kim. „Scheint so, als sei der Hirte heute zu Hause!"

Sie hatte Recht. Auf ihr Klopfen öffnete ein alter Mann.

„Drei Kinder und eine Katze – seltsam … Meine Frau und ich bekommen fast nie Besuch. Bringt ihr mir eine Nachricht? Falls ja, dann ist es hoffentlich eine gute, beim *Hermes*."

„Eine Botschaft haben wir nicht", entgegnete Kim und lächelte den Alten freundlich an. „Aber wir wollen dich etwas fragen."

Schlagartig wurde Sitalkes misstrauisch. „So?"

„Wir kommen im Auftrag von Korobios", flunkerte Kim und erntete dafür überraschte Blicke von Leon und Julian. „Du hast vielleicht auch schon gehört, dass Irini verschwunden ist. Ihre Spur verliert sich an der Kastalischen Quelle. Und du warst doch gestern dort …"

Sitalkes hob abwehrend die Hände. „Ich? Aber nein!" Hastig schüttelte er den Kopf. Schweiß hatte sich auf seiner Stirn gebildet. „Nein, ich war nicht da, habe nichts gesehen. Lasst mich in Ruhe! Sonst …" Er drehte sich um und packte eine Mistgabel, die neben der Tür stand. Drohend richtete er die spitzen Zinken auf die Freunde. „Verschwindet!", zischte er.

Julian, Kim und Leon rannten, so schnell sie konnten, den Hügel hinunter. Nach etwa hundert Metern blieben sie keuchend stehen.

„Das war ja wohl nichts." Julian klang enttäuscht.

„So sehe ich das nicht", widersprach Kim. „Sitalkes hat nicht die Wahrheit gesagt. Der war doch total nervös und wurde dann auch noch aggressiv. Ich sage euch, der Hirte hat etwas zu verbergen."

Leon nickte. „Außerdem scheint er vor etwas große Angst zu haben – aber vor was?"

„Das werden wir schon noch herausfinden!", sagte Kim entschlossen.

Die unheimliche Priesterin

Theodorus weckte sie am nächsten Morgen in aller Frühe.

„Auf, auf!", rief er. „Es gibt viel zu tun!"

„Was denn?", murmelte Leon verschlafen.

Der Priester seufzte. „Irini ist leider immer noch verschwunden und wir, die Priester, haben eine neue Pythia ernannt: Thargelia."

„Wie wird man denn eigentlich Pythia?", wollte Kim wissen.

„Sie muss aus Delphi stammen, jung sein, über seherische Fähigkeiten verfügen und bereit sein, ihr Leben lang allein Apollon zu dienen. Thargelia erfüllt alle Voraussetzungen. Möge sie ähnlich erfolgreich sein, wie es ihre Vorgängerin einst war. Arme Irini! Hoffentlich geht es ihr gut, bei *Aphrodite*!"

„Wird das Orakel heute wieder geöffnet?", fragte Julian.

Theodorus nickte. „Ja, und ihr werdet neue Aufgaben bekommen, das hat Korobios angeordnet."

Nun waren die Freunde hellwach.

„Ihr sollt bei den Zeremonien helfen", fuhr der Priester fort. „Dabei werdet ihr getrennt. Das Mädchen soll die Pythia unterstützen und Lorbeerblätter auf dem Altar verbrennen. Die Jungen werden die Ratsuchenden begleiten und bei den Waschungen und Opferungen helfen."

Kim sprang von ihrer Pritsche. „Wir werden also in den Apollon-Tempel gelangen?"

„Ja", erwiderte Theodorus knapp. „Aber freut euch nicht zu früh. Mit diesen Privilegien sind auch Pflichten verbunden."

„Die wären?", fragte Leon misstrauisch.

Der Priester senkte die Stimme. „Ihr werdet zu Vertrauten des Apollon, ihr werdet seine Diener. Das bedeutet, dass ihr zu absolutem Gehorsam verpflichtet seid." Er sah die Kinder der Reihe nach an. In seinen Augen funkelte es. „Ihr werdet die Orakelstätte nicht mehr ohne Erlaubnis verlassen, so wie ihr es gestern getan habt. Auch das hat Korobios angeordnet."

Verblüfft schauten sich die Freunde an. Offenbar beobachtete man jeden ihrer Schritte genau …

„Außerdem werdet ihr aufhören, Fragen zu stellen", fuhr Theodorus fort. „Es sei nicht eure Aufgabe, sagt Korobios, den Willen der Götter zu hinterfragen. Habt ihr verstanden?"

Zögernd nickten die Freunde.

„Seid auf der Hut, sonst trifft euch der Fluch!", warnte Theodorus, während er zur Tür ging. „Und haltet euch bereit, wir holen euch gleich zur Zeremonie."

Eine halbe Stunde später wurde zunächst Kim von dem kleinen missmutigen Androtion abgeholt. Kija rieb sich an ihren Beinen und sprang ihr hinterher, als Kim die Kammer verließ.

„Bleib hier!", rief Julian, aber Kija beachtete ihn nicht. Wie ein Schatten blieb sie in Kims Nähe.

Androtion führte Kim in ein kleines Gebäude am hinteren Ende des Tempels. Dort erhielt sie einen neuen, knöchellangen Chiton.

Sobald sie umgezogen war, brachte Androtion sie zu einer kleinen Prozession, die an einem der Tore wartete. Dort standen Korobios, einige andere Priester – und Thargelia, die neue Pythia!

Kim erschrak, als sie näher herantrat. Das schmale Gesicht der jungen Frau war ungewöhnlich blass, fast totenbleich. Ihr pechschwarzes Haar hing der Pythia wirr in die Stirn. Thargelia blickte in Kims Richtung, schien sie aber nicht wahrzunehmen. Ihr Gesicht blieb eine unbewegliche Maske, die Augen waren starr auf einen Punkt irgendwo hinter Kims Kopf gerichtet. Trotz der Hitze, die sich bereits zu dieser frühen Morgenstunde über Delphi gelegt hatte, fror Kim einen Moment. Die neue Priesterin war ihr unheimlich.

Wortlos schob Korobios Kim ans Ende des kleinen Zuges. Dann setzte er sich selbst an dessen Spitze und marschierte auf das Tor zu, während ihm die anderen folgten. Die Pythia verhüllte ihr Gesicht nun mit einem Schleier.

Kim hielt den Kopf gesenkt, als fürchtete sie, man könne ihre Gedanken lesen, sobald sie aufsähe. In ihrem Kopf wirbelten tausend Fragen durcheinander. Warum durften sie den Tempel nicht mehr verlassen, wieso beobachtete man offenbar jeden ihrer Schritte? Hatten sie zu viel gesehen? Schwebten sie in Gefahr? Sollte Irinis Verschwinden unter den Teppich gekehrt werden? Das schien Kim einleuchtend zu sein. Die Show musste weitergehen, Delphi lebte vom Orakel und duldete keine Störungen des Geschäftsablaufs.

Kim presste die Lippen fest aufeinander. Sie würde sich nicht einschüchtern lassen, sie war fest entschlossen, das Rätsel um Irini zu lösen. Sicher dachten Leon und Julian ebenso.

Unterdessen kümmerten sich Leon und Julian unter der Anleitung von Theodorus um den Ratsuchenden, der das Orakel befragen wollte. Es handelte sich um einen reichen Schmuckhändler aus Athen. Auch er wurde zur

Quelle gebracht, allerdings deutlich nach der Pythia. Dann führte der Priester den Händler und die Kinder in den *Pronaos*, die Vorhalle des Tempels. Dort war die Aufschrift „Gnothi Sautón" eingemeißelt worden: „Erkenne dich selbst".

Sobald sich Leons und Julians Augen an das Zwielicht gewöhnt hatten, staunten sie. Überall glitzerte es. In einer Ecke stand ein goldenes Weihwasserbecken, in einer anderen ein silberner Stier, in der dritten eine Säule aus Bronze, verziert mit goldenen Sternen.

„Bist du bereit, den Pelanos zu entrichten?", fragte Theodorus den Schmuckhändler. Der Mann nickte eifrig und zog unter seinem reich verzierten Himation einen Geldbeutel hervor. Theodorus warf einen Blick hinein. Ohne das Gesicht zu verziehen, ließ der Priester den Beutel unter seinem Gewand verschwinden.

„Warte hier", sagte Theodorus und deutete auf eine Bank neben einer breiten Flügeltür aus Zypressenholz, die mit Elfenbeinschnitzereien verziert war.

„Liegt hinter dieser Tür das *Adyton*, das Allerheiligste?", wagte der Schmuckhändler zu fragen. Seine Stimme war nur ein ehrfürchtiges Flüstern.

„Du sagst es", entgegnete Theodorus und verschränkte die Arme vor der Brust. „Aber jetzt schweige und warte."

Nachdem sich die Pythia an der Kastalischen Quelle symbolisch gereinigt hatte, war die Prozession zur Orakelstätte zurückgekehrt und hatte den Apollontempel betreten. Die Pythia legte den Schleier ab. Auf dem Altar der Göttin *Hestia* in der Mitte des Tempels loderte das ewige Feuer. Nun holten zwei Männer ein lebendes Zicklein heran und setzten es vor dem Altar ab. Korobios schüttete etwas kaltes Wasser, das ihm Kim in einem Eimer reichte, über den Rücken des Tieres und beobachtete die Reaktion der Ziege.

„Gut", sagte Korobios erleichtert. „Die Ziege hat gezittert. Das ist das göttliche Zeichen, dass Apollon bereit ist."

Nun wurde das Tier auf dem Altar geopfert. Kim wandte sich entsetzt ab und erntete dafür einen Tadel von Korobios. Er presste ihr *Weihrauch*, *Bilsenkraut* und *Laudanum* in die Hand und befahl ihr, diese im ewigen Feuer zu verbrennen. Kim gehorchte. Die Pythia trat dicht an den Altar heran und sog gierig den Duft ein, der dem Feuer entströmte. Plötzlich begann sie zu taumeln. Der Rauch musste eine berauschende Wirkung haben. Sofort eilte Korobios herbei und stützte die Pythia. Dann führte er sie und die anderen in das Adyton. Unauffällig hielt Kim nach Kija Ausschau, konnte die Katze aber nicht entdecken.

Das Adyton wurde vom Licht des heiligen Feuers erhellt. Sein flackernder Schein fiel auf eine goldene Apollon-Statue, den heiligen Lorbeerbaum und einen Grabstein. Mühsam konnte Kim die Inschrift entziffern – es handelte sich um das Grab von Dionysos, Sohn des Zeus.

An der Rückwand des Raums lag ein großer, kegelförmiger Stein. Kim ahnte, dass es sich um den *Omphalos* handelte, den die Griechen für den Mittelpunkt der Erde – den Nabel der Welt – hielten. Gerade als sie ihren Blick wieder abwenden wollte, stutzte sie: Kija hatte es irgendwie geschafft, sich mit in das Adyton zu schleichen und verbarg sich ausgerechnet hinter dem heiligen Stein! Kim wurde nervös. Wenn Korobios die Katze entdeckte, gab es bestimmt gewaltigen Ärger.

Doch der Priester konzentrierte sich ganz auf Thargelia. Unsicher nahm die Pythia auf dem geweihten *Dreifuß* Platz und schloss die Augen. Korobios reichte ihre eine silberne Schale, in der eine weiße und eine schwarze Bohne lagen.

Schritte wurden laut. Kim hörte leise Stimmen, darunter die von Theodorus. Und jetzt erst bemerkte sie rechts von sich einen schlichten Vorhang, der sich gerade bewegte, als habe ihn ein Wind erfasst. Kim vermutete, dass hinter dem Vorhang neben Theodorus auch Leon, Julian und der Mann, der das Orakel befragen wollte, warteten.

Nun ertönte wieder Theodorus' Stimme hinter dem Vorhang, diesmal jedoch laut und klar: „Ich, Priester von Delphi, der Apollon geweihten heiligen Stätte, frage dich, großer Gott Apollon, im Namen von Archilochos, dem Schmuckhändler: Wird sein Schiff sicher den Hafen von Athen erreichen?"

Die Pythia reagierte zunächst überhaupt nicht. Fast schien es Kim, als habe Thargelia die Frage gar nicht registriert. Ihr Gesicht blieb so regungslos wie ihr ganzer Körper.

Eine Minute verstrich, in der Totenstille herrschte. Kim wagte kaum zu atmen.

Unvermittelt schlug die Pythia die Augen auf. Ihre Lippen bebten, als wolle sie etwas sagen. Doch Thargelia blieb stumm. Ihr Körper begann zu zittern, ihre Hände schossen vor, griffen in die Schale und schlossen sich fest um die beiden Bohnen. Nun legte die Pythia den Kopf in den Nacken. Sie riss den Mund auf und begann zu keuchen. Ein Krampf schüttelte ihren Körper, als habe Thargelia starkes Fieber. In ihre Augen trat ein merkwürdiger Glanz, dann bahnten sich Tränen ihren Weg über ihre bleichen Wangen. Sie streckte die linke Hand aus, öffnete sie und ließ die schwarze Bohne auf den Boden fallen. Die rechte Hand mit der weißen Bohne streckte sie hoch in die Luft.

„Apollon hat gesprochen!", rief Korobios in diesem

Moment. „Es ist die weiße Bohne. Die Antwort lautet: Ja!"

Ein unterdrückter Jubelschrei drang hinter dem Vorhang hervor. Korobios ging zu dem Vorhang und zog ihn ein Stück zur Seite. Dann wechselte er ein paar Worte mit Theodorus.

Kim sah wieder zur Pythia. Thargelia war auf dem Dreifuß zusammengesackt und sah aus, als schliefe sie.

Am Abend saßen die Freunde in ihrer Kammer. Bei vier weiteren Orakelbefragungen hatten sie noch assistieren dürfen. Doch nun waren die Tore zum Heiligtum fest verschlossen. Die Kinder waren in ihr Zimmerchen geschickt worden. Hier war es stickig. Durch das kleine Fenster kam kaum frische Luft hinein.

„Hast du gesehen, wie dick die Geldbeutel waren, die Korobios jedes Mal in Empfang genommen hat?", fragte Leon. „Kein Wunder, dass die Schatzhäuser so gut gefüllt sein sollen."

Julian nickte. „Allerdings, mit dem Orakel scheint sich viel Geld verdienen zu lassen. Möchte mal wissen, wie viele Orakelsprüche tatsächlich zutreffen."

Kim, die gerade auf ihrer Matte mit Kija spielte, ergänzte: „Der Rauch, den Thargelia eingeatmet hat, muss sie in einen Rausch-

zustand versetzt haben. Und ich hätte nie gedacht, dass man für ein Orakel ganz normale Bohnen benutzt."

„Nicht immer", erwiderte Julian. „Korobios hat doch gesagt, dass Apollon auch durch den Mund der Pythia zu den Ratsuchenden spricht. Und Theodorus hat mir erklärt, dass das vor allem dann passiert, wenn es sich um Fragen handelt, die nicht mit einem einfachen Ja oder Nein zu beantworten sind."

Kim nickte. Sie stand auf und lief in der Kammer auf und ab wie ein Tiger im Käfig. Ihr wollten die Bohnen nicht aus dem Kopf gehen. Schwarz und weiß, schwarz und weiß, schwarz …

Abrupt hielt sie inne und schnippte mit den Fingern. „Ich hab's!", rief sie. „Schwarz, die Farbe Schwarz – das ist es!"

Leon und Julian verstanden nur Bahnhof.

„Mensch, Jungs!", fuhr Kim fort. „Wir haben doch überlegt, wie wir den Hirten Sitalkes überführen können. Und dank der Bohnen habe ich eine Idee: Wir haben doch an der Quelle nicht irgendwelche Wolle gefunden, sondern schwarze! Und schwarze Schafe gibt es nicht oft. Wenn wir also in Sitalkes' Herde ein schwarzes Schaf finden, dann …"

„Genial!", stieß Leon begeistert hervor. „Wir müssen noch mal zum Hirten und ihn …" Er brach mitten im Satz ab und legte einen Finger auf die Lippen. Vom

Fenster war ein unterdrücktes Niesen gekommen! Mit einem Satz war Leon dort und spähte hinaus. Gerade noch sah er eine kleine, verhüllte Gestalt, die in der Dunkelheit zum Tempel huschte und dahinter verschwand.

„Mist, man hat uns belauscht!", zischte Leon.

„Hast du denn gesehen, wer es war?", fragte Julian atemlos.

Ärgerlich schüttelte Leon den Kopf. „Leider nicht. Aber der Typ war ziemlich klein – so wie Androtion!" Er sah seine Freunde nachdenklich an. „Ich glaube, wir müssen vorsichtig sein – sehr vorsichtig."

„Ja", flüsterte Julian. „Ich möchte nicht plötzlich spurlos verschwinden wie Irini. Und allmählich habe ich das Gefühl, dass man uns nur deshalb so freundlich in der Tempelanlage aufgenommen hat, um uns kontrollieren zu können. Weil wir etwas gesehen haben, was wir nicht sehen durften …"

Ein Schrei in der Nacht

Auch am nächsten Tag hatten die Freunde das Gefühl, dass man sie beobachtete. Nie waren sie allein. Zumeist war es Theodorus, der sich um sie kümmerte und ihnen Aufgaben zuteilte. So kam es, dass die Kinder an weiteren Orakelzeremonien teilnehmen durften. Außerdem schleppten die Freunde Holz für das Feuer im Adyton heran und versorgten den heiligen Olivenbaum mit Wasser.

Erst am Abend entließ der Priester die Kinder. „Geht gleich zu Bett", trug er ihnen auf. „Morgen wird bestimmt wieder ein anstrengender Tag. Und wer weiß: Vielleicht bekommen wir ja den hohen Besuch, auf den alle warten."

Die Kinder verzogen sich in ihr Zimmer. Durch das Fenster beobachteten sie, wie Theodorus im Nachbargebäude, dem Priesterhaus, verschwand.

„Die Luft ist rein", sagte Leon. „Hast du die Wolle dabei, Julian?"

„Klar doch. Aber wie sollen wir aus dem Tempel-

ʒezirk kommen? Garantiert wurden die Wachen angewiesen, uns nicht mehr rauszulassen."

„Stimmt", erwiderte Leon. „Dann müssen wir eben
ʒinen anderen Weg suchen." Schon schlüpfte er durch
ɖie Tür in die Dunkelheit, die sich über den heiligen Be-
ʒirk gelegt hatte. Julian, Kim und Kija folgten ihm.
ʒchnurstracks liefen die Freunde zum nächsten Tor.
Ɔort wachte wie erwartet ein Hoplit.

„Und jetzt?", flüsterte Julian.

„Seht ihr die Äste von dem Olivenbaum, die über die
ʌlauer ragen?", sagte Kim leise. „Wenn wir ein Seil hät-
ʒen …"

Leon und Julian hatten begriffen. Gemeinsam liefen
ɖie Freunde zurück zum Gästehaus und durchsuchten
ʒs. In einer Abstellkammer fand Leon schließlich ein
ʒanges Seil, das ihn an einen der festen Kälberstricke
ʒus seiner Heimat Siebenthann erinnerte. Es gelang den
ʒreunden, unbemerkt auf die Mauer zu klettern. Oben
ʒollten sie das Seil auf und ließen es in einer Astgabe-
ʒung zurück. Auf der anderen Seite der Mauer nutzten
ʒie den Baum zum Abstieg. Kija war am schnellsten.

„Glück gehabt", sagte Leon, als sie alle sicher unten
ʒngelangt waren. „Das ist schon der zweite nützliche
ʒaum in diesem Abenteuer."

Kija setzte sich an die Spitze des kleinen Zuges. So
ʒelangten sie zur Agora, wo auch jetzt noch reges Trei-

ben herrschte. Im Vorbeigehen schnappten die Freunde Gesprächsfetzen auf. Fast alle Unterhaltungen drehten sich um die bevorstehende Ankunft des Königs.

Die Freunde rannten die abschüssige Straße hinunter und ließen bald die letzten Häuser der Stadt hinter sich.

Kurze Zeit später blieb Kija stehen und drehte sich um.

„Wir kommen doch schon", sagte Kim lachend. Doch als sie die weit geöffneten Augen der Katze sah, wurde sie schlagartig ernst. Kija starrte an ihr vorbei auf den Weg, der sich in der Dunkelheit verlor. Ihre Ohrmuscheln waren nach vorn gedreht, der Schwanz zuckte ruckartig hin und her.

„Was hast du?", fragte Kim, die sich wünschte, über ähnlich gute Augen wie die Katze zu verfügen. Sie konnte nur ein Stück des Pfades und die Umrisse einiger Bäume erkennen. „Ist da hinten irgendjemand?"

Ein klägliches Miauen erklang.

Kim sah Leon und Julian entsetzt an. „Meint ihr, dass man uns verfolgt?", fragte sie nervös. „Etwa dieser unheimliche Androtion?"

„Weiß nicht", erwiderte Julian unsicher. „Es ist zu dunkel …"

„Macht euch nicht verrückt", versuchte Leon sie zu beruhigen. „Vielleicht hat Kija irgendetwas anderes erschreckt. Irgendein Tier, was weiß ich. Kommt weiter!"

Er beugte sich zu Kija hinunter und streichelte ihren Kopf. Erneut miaute die Katze.

Dann liefen die Freunde schweigend weiter den finsteren Weg hinab. Jeder hing seinen Gedanken nach.

Wenig später tauchte die Hütte des Hirten auf. Geduckt wie ein großer, schwarzer Fels lag sie vor ihnen. Die Freunde versteckten sich hinter einem hohen Busch. Plötzlich blitzte ein Licht in einem Fenster der Hütte auf – Sitalkes schien zu Hause zu sein.

„Könnt ihr die Schafe sehen?", fragte Kim.

„Nein", flüsterte Leon. „Aber die sind bestimmt in dem Pferch neben der Hütte. Lasst uns nachsehen."

Etwas knackte hinter ihnen. Es klang wie ein Peitschenhieb. Die Freunde fuhren herum. Aber da war nichts, nur Dunkelheit. Kija machte einen Buckel und fauchte.

„Das ist niemand, ganz bestimmt", sagte Leon und versuchte, ruhig zu klingen. „Kommt zum Pferch."

Leon hatte Recht. Die Tiere drängten sich gegen den Zaun, als sich die Kinder näherten. Offensichtlich hofften die Schafe auf frisches Futter. Angestrengt starrten die Freunde auf die kleine Herde. Zum Glück kam in diesem Moment der Mond hinter den Wolken hervor und spendete etwas Licht.

„Da, da ist ein schwarzes Schaf", zischte Kim aufgeregt und deutete auf ein kleines Tier am Rand.

„Also doch", sagte Leon zufrieden. „Jetzt sollten wir uns noch mal mit Sitalkes unterhalten. Er hat uns angelogen!"

„Vorsicht", bremste Julian seine beiden Freunde. „Die Wolle, die wir an der Quelle gefunden haben, könnte auch von einem anderen Schaf stammen. Es wird in Delphi nicht nur ein schwarzes Schaf geben", gab er zu bedenken.

Leon zupfte an seinem Ohrläppchen. „Mag sein", gab er zu. „Aber ich bin dafür, dass wir es einfach probieren. Eine andere Spur haben wir schließlich nicht. Wir überrumpeln Sitalkes einfach und schauen, was passiert."

Julian ließ sich überzeugen. Die Freunde liefen zur Tür und klopften an.

Sitalkes öffnete mit einem Öllämpchen in der Hand. „Was wollt ihr denn schon wieder hier, beim *Pan*?", sagte er ärgerlich.

„Zeig ihm doch mal die Wolle, Julian", entgegnete Leon kühn.

Julian holte sie unter seinem Chiton hervor.

„Na und?", sagte Sitalkes und machte Anstalten, die Tür zuzuschlagen.

„Warte", rief Leon. „Es geht um Irini. Sie ist an der Quelle spurlos verschwunden. Und diese Wolle haben wir dort oben gefunden. Die Wolle stammt von einem

70

deiner Schafe. Also warst du doch an der Quelle, als Irini verschwand!"

Sitalkes machte einen Schritt nach draußen. Er legte einen Finger auf die Lippen. „Nicht so laut! Mein Weib darf nichts hören. Sie redet gern und viel", wisperte er.

Dann führte er die Kinder in den angrenzenden Olivenhain. Die knorrigen Bäume wirkten bei Nacht düster und unheimlich. „Ja, ich war an der Quelle", gestand Sitalkes. „Aber wer schickt euch?"

„Niemand", entgegnete Leon. Er freute sich, dass sein Plan funktionierte. „Wir waren es, die die Wolle und das Blut an der Quelle gefunden haben. Und wir wollen wissen, was dort wirklich vorgefallen ist."

Der Hirte nickte. Auf seiner Stirn glitzerten Schweißperlen. Hektisch schaute er sich um.

„Du hast Angst", sagte Julian. „Vor wem?"

Sitalkes schüttelte den Kopf. „Nein, nein. Ich habe keine Angst. Gut, ich war an der Quelle an jenem Morgen. Habe meine Schafe gehütet wie immer, mich ein bisschen hingesetzt und ein Holzpferdchen geschnitzt für meinen Enkel." Ein Lächeln huschte über sein angespanntes Gesicht. „Und dann kam sie: Irini. Ein schönes Mädchen. Sie hat sich an der Quelle gewaschen und mich gar nicht gesehen. Und dann …" Sitalkes brach den Satz ab. Wieder schaute er sich ängstlich um.

„Was dann?"

Der Hirte knetete seine Finger. „Reiter kamen. Wie aus dem Nichts. Plötzlich waren sie da und stürzten sich auf Irini!"

In diesem Moment fauchte Kija. Die Freunde drehten sich um, spähten mit klopfenden Herzen ins Dunkel. Und mit einem Mal schien es, als käme Bewegung in die Bäume.

„Was ist das?", hauchte Kim.

Rings um sie herum waren jetzt sich bewegende Schatten. Und sie kamen immer näher, von allen Seiten, lautlos, zielstrebig und schnell. Große, vermummte Gestalten.

„Weg hier!", schrie Sitalkes und rannte in Panik davon. Er verschwand in dem Hain. Schon wollten Leon, Julian und Kim ihm hinterherrennen – doch die Katze lief genau in die entgegengesetzte Richtung. Für eine Sekunde zögerten die Freunde, dann folgten sie ihrem Gefühl und schlugen den Weg ein, den Kija gewählt hatte. Die Katze hatte eine Lücke in der Kette der Angreifer entdeckt. Mit weiten Sprüngen hastete sie zwischen den Olivenbäumen hindurch und verkroch sich in einem Busch. Die Freunde ließen sich hinfallen und krabbelten ebenfalls in das Gebüsch. Dornen zerkratzten ihre Arme und Beine.

Schwere Hufe donnerten über den Boden ganz in ihrer Nähe. Ein großes Pferd preschte auf das Versteck

der Kinder zu, die sich furchtsam aneinanderpressten und beteten, dass der Reiter sie nicht entdeckte. Nun stoppte das Pferd und bäumte sie schnaubend auf. Den Freunden stockte der Atem, während sie zitternd durch die Zweige spähten. Die Vermummung des Reiters ließ nur einen schmalen Spalt für die Augen frei. Er war mit Pfeil und Bogen bewaffnet. Der Reiter schaute in alle Richtungen, er suchte die Kinder! Doch dann wendete er das Pferd und ritt davon.

„Puh!", entfuhr es Kim. „Das war knapp! Danke, Kija!"

„Ja, wir haben wohl noch mal Glück gehabt", flüsterte Julian. „Aber was ist mit Sitalkes?"

Da ertönte ein entsetzlicher Schrei, der Kim, Julian und Leon das Blut in den Adern gefrieren ließ. Diesen Schrei, davon waren sie überzeugt, hatte Sitalkes ausgestoßen. Dann senkte sich völlige Ruhe über den Olivenhain.

Eine geheimnisvolle Botschaft

Mehrere Minuten kauerten die Freunde noch in ihrem Versteck. Sie hatten das Gefühl, sich vor Furcht keinen Zentimeter mehr bewegen zu können.

Leon war es, der sich als Erster aus dem Gebüsch wagte. Kija folgte ihm, dann Kim und schließlich auch Julian. Nach wie vor herrschte diese gespenstische Stille.

„Ob Sitalkes noch … noch hier ist?", überlegte Julian laut.

„Möglich", flüsterte Kim. „Vielleicht wurde er niedergeschlagen und braucht unsere Hilfe. Wir müssen ihn suchen."

Und so nahmen sie ihren ganzen Mut zusammen und durchkämmten den Hain. Jedoch ohne Erfolg. Dann liefen sie zur Hütte und informierten Sitalkes' Frau. Diese reagierte erstaunlich gefasst auf den Vorfall, lief mit den Freunden zurück zur Stadt und alarmierte einen Hoplien. Danach trennten sich ihre Wege, denn Leon, Kim und Julian trotteten weiter zur Tempelanlage.

„Sollen wir auch noch Korobios informieren?", fragte Kim.

„Ne, lieber nicht", erwiderte Julian. „Korobios wird nicht begeistert sein, dass wir uns aus dem Tempelbezirk geschlichen haben. Womöglich bestraft er uns oder wirft uns hinaus."

„Stimmt, die Gefahr besteht", sagte Leon. „Dann sollten wir zusehen, dass wir unauffällig zurück in unser Zimmer kommen. Ich bin allerdings überhaupt nicht müde – und ihr?"

Auch Kim und Julian waren noch hellwach. Gemächlich schlenderten sie auf die Agora. Aus den Schenken drang der Lärm fröhlicher Zecher. Auch im „Dionysos" schien demnach noch einiges los zu sein. Neugierig warfen die Freunde einen Blick durchs Fenster und entdeckten prompt Medias. Der Seher hockte zusammen mit dem heiratswilligen Philippos an einem Tisch. Jetzt sah Medias in die Richtung der Freunde und winkte ihnen zu.

„Ob Philippos schon weiß, wann er zur Pythia vorgelassen wird?", rätselte Julian.

„Fragen wir ihn doch ganz einfach", schlug Leon vor Kim und Julian waren einverstanden.

„Aber wir sagen Medias kein Wort von dem, was wir vorhin mit Sitalkes erlebt haben", schränkte Julian ein „Ich traue dem Mann immer noch nicht."

In der Schenke war es heiß und stickig. Fast alle Tische waren besetzt. Medias blickte die Freunde mit hochgezogenen Augenbrauen an. „Solltet ihr nicht längst im Bett sein, beim Zeus?", fragte er grinsend.

Die Freunde setzten sich zu ihm und Philippos.

„Uns war es zu heiß, wir konnten nicht schlafen – da haben wir eben einen kleinen Spaziergang gemacht", erzählte Kim mit einem treuherzigen Augenaufschlag.

Der Seher erwiderte Kims Blick, und plötzlich hatte sie das Gefühl, als würde Medias in ihren Gedanken lesen wie in einem offenen Buch. Beschämt senkte Kim den Blick.

Leon erkannte die Situation und sprach Philippos an: „Wann darfst du das Orakel befragen?"

Philippos schaute ihn aus etwas glasigen Augen an. Offenbar hatte er reichlich Wein getrunken. „Zum Glück schon morgen, bei Aphrodite! So wurde es mir jedenfalls von den Prophetes versprochen. Aber ich halte die Warterei kaum noch aus! Gerade hat mir Medias aus der Hand gelesen – und gesagt, dass es gut für mich aussieht, nicht wahr, Medias?"

Beruhigend tätschelte der Seher die Hand des jungen Mannes. „Bestimmt, mein Freund. Apollon wird durch den Mund der Pythia sprechen und dir hoffentlich raten, dich mit deiner Eleftheria zu vermählen."

Philippos blickte Medias kritisch an. „Wieso hoffentlich?" Seine Stimme klang misstrauisch. „Ich denke, du bist dir so sicher? Wofür habe ich dich bezahlt?"

Medias sog hörbar die Luft ein. „Nun, bei Irini wäre ich mir sicher gewesen. Aber seitdem Thargelia Pythia ist ..."

Interessiert beugte sich Julian vor. „Wie meinst du das?"

Medias warf einen Blick über die Schulter und vergewisserte sich, dass der Wirt gerade nicht der Nähe war. „Na ja, man hört so einiges", sagte er dann geheimnisvoll.

„Was genau hört man?", setzte Julian nach.

Medias schüttelte den Kopf. „Kein Wort mehr von mir. Ich habe schon wieder zu viel gesagt. Es gibt sehr einflussreiche Männer in Delphi, die so was nicht gerne hören. Männer, die kritische Stimmen verstummen lassen, wenn es ihnen beliebt, versteht ihr?"

Betroffen nickten die Freunde.

Schwerfällig erhob sich Philippos. „Mir ist das alles zu kompliziert. Ich will nur meine Eleftheria heiraten und sonst nichts. Ich gehe jetzt zu Bett." Er ließ seine kräftige Hand auf Medias' Schulter krachen. „Und dir rate ich, dass deine Prophezeiung stimmt."

Medias nickte. „Wir werden sehen ..."

„Sehr lustig, Seher", erwiderte Philippos und wankte zum Wirt, einen prallen Geldbeutel in der Hand.

Auch Kim, Leon, Julian und Kija verließen nun die Schenke, während Medias noch ein wenig arbeiten wollte, wie er es nannte.

„Komische Anspielung von Medias", sagte Leon, sobald sie wieder auf der Straße standen.

„Ja", fand auch Kim. „Klingt so, als würde Medias vermuten, dass beim Orakel nicht alles mit rechten Dingen zugeht."

„Das kann ich mir nicht vorstellen", sagte Julian und gähnte. „Inzwischen bin ich aber doch bettreif. Ich möchte in die Tempelanlage. Wie sieht's bei euch aus?"

Als Antwort gähnten Leon und Kim ebenfalls. Nur Kija schien nach wie vor fit zu sein.

Vor der Tempelmauer kletterten die Freunde in den Olivenbaum hinauf. Leon gelangte als Erster auf die Mauer und wollte schon nach dem Seil greifen, als er erstarrte. Ein Hoplit kam hinter dem Prytaneion hervor und lief geradewegs auf sie zu! Offenbar war er auf Streife! Aufgeregt gab Leon seinen Freunden Zeichen, nur ja ruhig zu sein. Nun lief der Soldat genau unter ihnen entlang. Die Kinder hielten den Atem an und beteten, dass der Hoplit nicht gerade jetzt auf die Idee kam, den schönen Sternenhimmel zu betrachten und nach oben zu schauen. Doch sie hatten Glück – der Soldat setzte seine Runde fort, ohne die Freunde zu bemerken. Diese ließen noch ein paar Sekunden verstreichen, bevor sie sich abseilten. Leon, Kim und Julian hielten sich im Schatten der Schatzhäuser und Statuen und erreichten auf leisen Sohlen wieder ihr Zimmer. Sie wagten nicht, Licht zu machen, sondern tasteten sich zu ihren Lagern.

Erschöpft ließ sich Julian auf seine Matte sinken. Doch augenblicklich fuhr er wieder hoch. Etwas Hartes hatte ihn in den Rücken gepikst!

Vorsichtig tastete der Junge die Matte ab und hielt plötzlich einen spitzen Stein in der Hand, um den etwas gewickelt zu sein schien. Es knisterte und fühlte sich an wie grobes Papier.

„Hier, hier ist irgendetwas!", flüsterte Julian. „Kommt mal her!"

„Ist das etwa *Papyrus*?", überlegte Kim, sobald sie neben Julian saß.

Vorsichtig wickelte sie den Stein aus und legte ihn beiseite. Dann lief sie mit dem Blatt zum Fenster, durch das etwas Mondlicht fiel.

„Ja, da steht etwas drauf!", rief sie aufgeregt. Die anderen traten neben sie. „Mist, man kann es nicht lesen. Wir brauchen mehr Licht", forderte Kim.

Notgedrungen entzündeten die Freunde nun doch ein Öllämpchen. Im flackernden Lichtschein entzifferten sie die Botschaft. Was dort in krakeliger Handschrift stand, elektrisierte sie förmlich:

Kommt morgen Nacht zum Steinbruch. Ich habe
euch etwas Wichtiges mitzuteilen. Es geht um
Irini – und um das Schicksal der heiligen Stätte!

Ratlos blickten sich die Freunde an.

„Was ist denn das nun wieder?", fragte sich Julian.
„Ich mag keine neuen Rätsel mehr."

Das sah Leon anders. „Vielleicht hilft uns der Brief,
das eine oder andere Rätsel zu lösen."

„Ja", fand auch Kim. „Zu dumm, dass der Brief keine
Unterschrift trägt."

„Lasst uns morgen zum Steinbruch gehen. Der liegt
doch unten am Fluss", sagte Leon. „Und nun sollten wir
das Licht löschen und die Klappe halten. Dieses Orakel
hat Augen und Ohren, wie wir inzwischen wissen!
Denkt nur an Androtion …"

Ein neues Rätsel

Die Morgenröte des nächsten Tages ließ Phlembukos und Rhodini, die beiden gewaltigen Felsen neben dem Orakel, aufglühen. Die Luft war erfüllt von Vogelgezwitscher und dem Duft nach Lorbeer und Thymian. Ein trügerischer Frieden lag über der heiligen Tempelanlage.

Nervös trat Philippos von einem auf den anderen Fuß. Mit seinem Vater Battos, dem Priester Theodorus sowie Leon und Julian wartete er darauf, in den Apollontempel vorgelassen zu werden.

„Es wird schon alles gut werden", versuchte Battos seinen Sohn zu beruhigen. „Apollon wird die richtige Wahl für dich treffen."

„Ja, hoffentlich wird alles gut", murmelte Theodorus leise.

Battos sah ihn scharf an. „Wie meinst du das?"

Seufzend hob der Priester die Schultern. „Nichts, schon gut."

Battos sah ihn kritisch an, verzichtete aber darauf.

weitere Fragen zu stellen. Stattdessen legte er seinem Sohn einen Arm um die Schultern.

„Oh, Vater", murmelte Philippos. „Lass die Wahl auf Eleftheria fallen!"

„Das, mein Sohn, liegt nicht in meiner Macht", entgegnete Battos.

In der Zwischenzeit hatten Thargelia, Korobios, Androtion, Kim, Kija und einige andere Helfer die Quelle bereits wieder verlassen und den Apollontempel erreicht, in dem das übliche Tieropfer dargebracht worden war.

Nachdem sich die Pythia an den Kräutern berauscht hatte, begab sich die kleine Gruppe ins Adyton, wo Thargelia im Licht des ewigen Feuers auf dem Dreifuß Platz nahm. Kim hielt sich im Hintergrund und beobachtete die Pythia genau. Aber auch Kim selbst fühlte sich beobachtet. Es schien ihr, als lasse Androtion sie nicht aus den Augen. Kija hatte sich diesem Blick entzogen, indem sie sich hinter dem Stamm des heiligen Lorbeerbaums versteckt hatte.

Heute verhielt sich Thargelia ganz anders als beim letzten Mal. Sie lächelte. Aber es war ein seltsames Lächeln, denn ihre Augen lächelten nicht mit. Das Lächeln wirkte unsicher, aufgesetzt und falsch, fand Kim. Plötzlich wurde die Pythia ernst. Sie presste die Lippen fest aufeinander.

Hinter dem Vorhang wurden Geräusche laut. Leon und Julian waren offenbar gerade mit Philippos und Theodorus erschienen.

Und schon dröhnte die tiefe Stimme des Priesters durch den düsteren Raum: „Ich, Priester von Delphi, der Apollon geweihten heiligen Stätte, frage dich, großer Gott Apollon, im Namen von Philippos: Wird er Phano heiraten?"

Gespannte Stille. Nur das Knistern des heiligen Feuers war zu hören. Gebannt blickte Kim zur Pythia. Jetzt reichte Korobios ihr die Schale mit den Bohnen.

Die Pythia nahm die Schale und griff hinein. Dann geschah eine kleine Ewigkeit lang nichts. Schließlich erschien wieder das merkwürdige Lächeln auf den Lippen der Pythia. Dann begann sie albern zu kichern. Sie gab der Schale einen Schubs. Mit einem Scheppern schlug diese auf dem Boden auf. Kim erschrak – die Schale war leer! Also musste Thargelia beide Bohnen in der Hand halten! Wieder kicherte die Pythia, doch nun klang es nicht albern, sondern hysterisch.

Urplötzlich fuhr sie vom Dreifuß hoch und begann zu kreischen. Ihre schrille Stimme hallte durch das Adyton und Kim hielt sich, auch wenn es an diesem geweihten Ort zweifellos unangebracht war, die Ohren zu. Kija machte einen Buckel. Und jetzt, jetzt endlich öffnete die Pythia die linke Hand. Achtlos ließ sie die schwarze

Bohne auf den Boden fallen. Dann streckte Thargelia die rechte Hand aus und zeigte sie Korobios. Eine weiße Bohne lag klein und unscheinbar darin.

„Apollon hat gesprochen!", rief der Oberpriester. „Die Antwort lautet: Ja!"

Ein unterdrückter Aufschrei war hinter dem Vorhang zu hören. Kim schloss die Augen. Armer Philippos, dachte sie.

Nach dieser Befragung war die Pythia so erschöpft, dass eine Pause eingelegt werden musste. Kim rannte mit Kija zum Eingang des Apollontempels. Dort standen Julian und Leon bei Philippos und seinem Vater Battos. Auch der Priester Theodorus war dabei.

„Welch ein Unglück, bei Aphrodite!", jammerte Philippos. „Ich liebe Eleftheria. Und jetzt muss ich diese, diese unendlich häss…"

„Zügle deine Zunge, mein Sohn!", unterbrach Battos ihn. „Oder willst du den Willen der Götter anzweifeln? Das Orakel hat gesprochen und es hat eine gute Wahl getroffen."

„Du hast gut reden, du musst Phano ja auch nicht heiraten!", brauste Philippos auf.

Für einen Moment schien es, als würde Battos wütend werden. Aber er beherrschte sich. „Beruhige dich", sagte er väterlich. „Nicht nur Äußerlichkeiten zählen, auch die inneren Werte sind wichtig. Und Phano ist eine kluge Frau."

Doch Philippos war untröstlich. „Und dieser verlogene Medias hat mir vorhergesagt, dass die Wahl auf Eleftheria fallen würde. Wenn ich den erwische! Das gibt Ärger, das kann ich ihm prophezeien. Außerdem will ich mein Geld zurück!"

Theodorus räusperte sich und sagte: „Auf Medias darfst du nicht hören. Er ist ein Betrüger. Er sagt den Leuten immer das, was sie hören wollen. Irgendwann wird auch er den Zorn Apollons auf sich ziehen – so wie Sitalkes."

Überrascht sahen sich die Freunde an. Offensichtlich war der Priester schon im Bilde!

„Was ist mit dem Hirten?", fragte Kim harmlos.

Theodorus warf ihr einen durchdringenden Blick zu, und schon bereute sie es, die Frage gestellt zu haben.

„Er ist verschwunden", sagte Theodorus bedrückt. „Und es geht das Gerücht in Delphi um, dass auch Sitalkes der Fluch getroffen hat!"

„Aber warum sollte Apollon ihn mit einem Fluch belegen?", wollte Leon wissen.

Der Priester schaute zu Boden. „Fragt nicht weiter, sonst seid auch ihr in Gefahr. Ich warne euch! Es steht niemandem zu, den Willen der Götter zu hinterfragen."

Nach einem anstrengenden Tag hatte sich der Abend über den heiligen Bezirk gesenkt. Die Freunde hockten in ihrem Zimmer und spielten mit Kija Fußball. Leon hatte einige Wollfädenreste gefunden und daraus einen kleinen Ball gebastelt. Kija lauerte im Tor, dessen Pfosten aus zwei Sandalen bestanden. Nun versuchten Leon, Kim und Julian mit den Fingern, den Ball an der Katze vorbei ins Tor zu schnippen. Doch meistens war Kija schneller.

Nach einiger Zeit stand Kim auf. „Was meint ihr: Wann sollen wir zum Steinbruch gehen?"

„Ist es schon ganz dunkel?", fragte Leon, dicht über den Ball gebeugt und Auge in Auge mit der zum Sprung bereiten Katze.

Kim ging zum Fenster und schaute hinaus. „Ja, es ist absolut finster. Wir können ..." Sie brach den Satz ab, denn sie hatte jemanden gesehen, der zum Apollontempel huschte. Jetzt zog er das Tor auf und verschwand in der heiligen Stätte!

„Was ist denn los?", fragte Julian.

„Da schleicht gerade jemand in den Tempel – ziemlich merkwürdig um diese Uhrzeit, findet ihr nicht?", rief Kim aufgeregt.

„Allerdings", stimmte Julian ihr zu. „Hast du gesehen, wer es war?"

„Nein, leider nicht", gab Kim zu. „Aber wir wollten

doch jetzt sowieso los. Wir wär's mit einem Um-
weg über den Tempel?"

„Einen Moment noch!", rief Leon. Er kickte
den Ball in die linke untere Ecke des Tors, doch
Kija schnappte sich die Wollkugel mit einem ele-
ganten Hechtsprung. Seufzend erhob sich Leon.
„Gut, gehen wir. Aber wir müssen auf der Hut
sein."

„Klar doch", erwiderte Kim.

Geduckt huschten die Freunde zum Tempel,
dessen weiße Fassade kalt im Mondlicht schim-
merte. Die Kinder schlichen in die Vorhalle und

lauschten. Nichts war zu hören.
Vorsichtig tasteten sie sich weiter in
den Tempel hinein. Das Licht des ewigen Feuers warf zuckende Schatten an
die Wand und ließ die goldene Statue
des Apollon funkeln. Plötzlich stockte

den Freunden der Atem: Neben dem Lorbeerbaum standen zwei Männer, die ihnen den Rücken zuwandten!

Julian, Kim und Leon versteckten sich hinter Säulen und starrten gebannt nach vorn. Jetzt gab der eine Mann dem anderen eine Schriftrolle und einen Geldbeutel. Anschließend wandte er sich abrupt ab und verschwand hinter dem Vorhang. Der andere Mann ließ den Geldbeutel unter seinem Himation verschwinden. Dann rollte er das Schriftstück auf und überflog den Inhalt. Anschließend steckte er es ein und ging ebenfalls zum Vorhang. Als er diesen zurückzog, fiel der Brief aus seinem Himation. Der Mann bemerkte es nicht und verschwand.

Die Freunde warteten zwei Minuten, bis sie sich aus ihrer Deckung wagten.

„Habt ihr erkannt, wer die Kerle waren?", fragte Kim.

„Nein", flüsterte Leon. „Die haben uns ja die ganze Zeit den Rücken zugedreht. Androtion war aber wohl nicht dabei. Beide Männer waren dafür zu groß. Aber fest steht, dass hier etwas superfaul ist!"

„Allerdings", pflichtete Julian ihm bei. „Hier hat gerade Geld den Besitzer gewechselt, aber für was?"

„Vielleicht gibt uns der Brief einen Anhaltspunkt", hoffte Kim und hob ihn vom Boden auf. Dann breitete sie das Schreiben vor dem Feuer der Hestia aus.

„Seltsam, das gibt doch überhaupt keinen Sinn", murmelte Kim und las die erste Zeile laut vor: „Ni xy mm ab da ru sa wr ls ..." Sie brach ab und schaute ihre Freunde ratlos an.

„Womöglich handelt es sich um eine Geheimschrift", vermutete Julian.

„Psst, seid mal still", stieß Leon in diesem Augenblick hervor. Er deutete zum Vorhang. „Waren da gerade Schritte? Kommt da etwa jemand?"

Entsetzt blickten seine Freunde ihn an. Dann sprangen die Kinder auf und hetzten aus dem Tempel.

Im Steinbruch

Außer Atem erreichten sie den Vorplatz des Tempels. Die Nacht war mild und friedlich.

„Wollt ihr immer noch zum Steinbruch?", fragte Julian unsicher.

Kim und Leon nickten, und so gab Julian sich geschlagen.

„Aber wir müssen vorsichtig sein", warnte er. „Das Ganze könnte schließlich auch eine Falle sein."

Nach einer kurzen, heimlichen Kletterpartie über den Baum an der Mauer erreichten sie den Weg, der zur Stadt führte.

„Mich würde ja brennend interessieren, was in dieser Botschaft steht", sagte Kim.

„Mich auch", entgegnete Julian. „Wir sollten sie uns noch einmal bei Tageslicht anschauen. Vielleicht werden wir dann schlauer daraus. Aber womöglich hilft uns auch die geheimnisvolle Person weiter, die sich mit uns treffen will."

„Eines scheint klar zu sein", Leon runzelte die Stirn,

„im Orakel wird betrogen. Warum sonst gibt jemand nachts im Tempel einem anderen Geld?"

Kim blieb stehen. „Du meinst, die Priester werden bestochen?"

Leon nickte.

„Aber das Orakel wird von der Pythia gesprochen", warf Kim ein. „Wenn wirklich Orakelsprüche verkauft würden, müsste man das Geld doch der Pythia geben."

Darauf hatte Leon keine Antwort.

„Kommt weiter", drängte Julian. „Sonst verpassen wir noch unseren mysteriösen Informanten."

Silbern glitzerte das Wasser des Pleistos im Mondlicht. Gemächlich floss es am Steinbruch vorbei, der sich terrassenförmig einen steilen Hang hinaufzog. Vor dem Steinbruch gingen die Freunde hinter einem dichten Ginsterbusch in Deckung.

„Könnt ihr jemanden sehen?", fragte Leon, der vergeblich in die Dunkelheit spähte.

„Nein", kam es leise zurück.

„Dann sollten wir uns dort mal umsehen", flüsterte Leon und schlich voran. Geduckt liefen sie auf das felsige Gelände und erreichten einen großen, flachen Stein. Auf diesem legten sie sich auf den Bauch und hatten jetzt eine gute Sicht auf die gesamte untere Terrasse des Steinbruchs.

Diese war etwa zweihundert Meter lang und fünfzig Meter breit und, abgesehen von ein paar mächtigen Felsbrocken, weitgehend eben. Unschlüssig hielten die Freunde Ausschau nach einem weiteren nächtlichen Besucher. Aber niemand war zu sehen.

Julian musterte die Umgebung. Es war garantiert eine entsetzliche Plackerei, im Steinbruch zu arbeiten. Bestimmt mussten hier Sklaven schuften und mühsam Felsbrocken aus dem Berg brechen. Steinmetze würden die Steine anschließend bearbeiten und sie nach und nach zu wunderschönen Tempeln zusammenfügen.

Fünf Minuten vergingen, und jeder der drei Freunde hing seinen Gedanken nach. Kija hatte sich zusammengerollt. Doch die Katze schlief nicht, sondern suchte aufmerksam die Umgebung mit den Augen ab.

„Vielleicht hat sich jemand einen Scherz mit uns erlaubt", vermutete Julian düster.

Kim lachte leise auf. „Sehr lustig! Nein, das glaube ich nicht. Die Sache ist viel zu ernst."

Leon stand auf. „Ich habe jedenfalls keine Lust mehr, hier herumzuhängen. Ich lauf ein bisschen rum."

„Bleib lieber hier." Julian zog die Augenbrauen hoch. „Das könnte gefährlich werden!" Nach wie vor befürchtete er, in eine Falle gelockt zu werden.

Aber Leon winkte ab. „Ach was, hier ist doch niemand." Gemächlich streunte er über das Gelände und gelangte zu einem windschiefen Schuppen. Er zog die Tür auf. Im schwachen Mondlicht erkannte er ein paar kaputte Werkzeuge und einen Berg aus Lumpen. Spinnweben streiften seine nackten Arme. Leon war enttäuscht. Aber was hatte er erwartet? Dass der geheimnisvolle Unbekannte dort auf ihn wartete? So ein Quatsch!

Leon wollte gerade wieder die Tür zuwerfen, als er innehielt. Hatte sich da unter den Lumpen etwas bewegt? Das längliche Ding da unter dem Stoff, war das etwa ein Fuß?

Nein, nein, nein, sagte sich Leon. Er überwand seine Angst und machte einen Schritt auf den Lumpenhaufen zu. Wieder raschelte etwas. Jetzt lächelte Leon. Wahrscheinlich hatte er bloß eine Maus oder eine Ratte aufgeschreckt. Erleichtert verließ er den Schuppen, lehnte sich gegen die Tür und atmete ein paarmal tief durch. Ihn fröstelte trotz der warmen Nachtluft. Hoffentlich merkten die anderen nicht, dass er Angst gehabt hatte. Entschlossen ging er zu Kim und Julian zurück.

Auf halber Strecke fiel ihm etwas am Boden auf. Es glitzerte schwach. Leon bückte sich und staunte: Er hatte ein Schmuckstück gefunden, das an einem Lederband hing! Das Schmuckstück zeigte einen stattlichen jungen Mann, der auf einer Leier spielte – Apollon. Aber was noch viel wichtiger war: Leon hatte es schon einmal gesehen, und zwar bei Theodorus! Leons Gedanken rasten. Theodorus war heute Nacht hier gewesen. Keine Frage: Er war der Mann, der sich hier mit ihnen treffen wollte! Aber wo war er? War auch ihm etwas zugestoßen? Mit klopfendem Herzen schaute sich Leon um. Von Theodorus keine Spur. Dafür sah er Kim und Julian. Die beiden waren offenbar in ein Gespräch vertieft.

„He, ihr zwei!", rief Leon, der plötzlich jede Vorsicht vergessen hatte, aufgeregt. „Ich habe etwas gefunden, was Theodorus gehören dürfte." Er hielt das Schmuckstück hoch in die Luft.

Julian und Kim schauten in Leons Richtung.

„Vorsicht!", schrie Kim in dieser Sekunde.

Leon fuhr herum. Zwei vermummte Gestalten waren hinter dem Schuppen aufgetaucht und rannten auf ihn zu.

„Lauf!", brüllte Julian, der erkannte, dass sein Freund vor Schreck erstarrt war. Endlich kam Bewegung in Leon. Er rannte los, sprintete geradewegs auf seine Freunde zu. Gehetzt warf er einen Blick über die Schulter – die Verfolger kamen näher. Gleich würden sie ihn eingeholt haben!

„Er ist zu langsam!", rief Kim. „Wir müssen ihm helfen!" Schon bückte sie sich und hob einen faustgroßen Stein auf.

Julian bückte sich ebenfalls. „Feuer frei!"

Das erste Geschoss verfehlte sein Ziel, aber das zweite sauste knapp über Leons Kopf hinweg und traf einen der Verfolger am Knie. Ein Schrei ertönte, und der Vermummte begann zu humpeln. Sein Komplize suchte hinter einem Felsen Deckung.

„Lauf, Leon, lauf!", feuerten seine Freunde ihn an. Entsetzt erkannten sie, dass aus der Dunkelheit zwei weitere Gestalten aufgetaucht waren, die jetzt ebenfalls Kurs auf sie nahmen.

„Oh nein", entfuhr es Kim.

Abgekämpft erreichte Leon seine Freunde. Die Kinder rannten zum Weg, der am Fluss entlangführte. Doch sie wurden schon erwartet. Ein Reiter hatte seinen Bogen gespannt und zielte auf sie.

„Runter!", schrie Leon und ließ sich fallen. Ein Pfeil surrte über die Köpfe der Freunde hinweg.

„Was jetzt?" Kim sah sich nach allen Seiten um. „Wir sitzen in der Falle!"

„Jetzt haben sie uns!" Leon zitterte vor Angst am ganzen Körper.

Der nächste Pfeil zerbrach splitternd an einem Stein.

„Noch nicht!", zischte Julian. „Schaut mal, Kija macht es genau richtig!" Er deutete zur Katze, die gerade im hüfthohen Gras, das am Flussufer wuchs, verschwand.

„Los!" Julian robbte Kija hinterher. Und tatsächlich: Das Gras war so hoch, dass sich die Freunde darin verbergen konnten. Auf allen vieren krabbelten sie zum Wasser. Hinter ihnen wurden Flüche laut. Es raschelte im Gras.

„Sie suchen uns!", hauchte Kim. „Wo ist Kija?"

Auch Leon und Julian hatten die Katze aus den Augen verloren. Plötzlich ertönte vom Weg her ein Fauchen, dann ein Wiehern. Schwere Hufe donnerten über den Boden. Kim wagte es, über die Grashalme zu spähen. Sie sah ein Pferd davongaloppieren. Zwei ihrer Verfolger versuchten, das Tier zu stoppen, und rannten ihm hinterher. In diesem Moment tauchte Kija bei den Freunden auf – und jetzt begriff Kim.

„Du hast das Pferd in Panik versetzt und so die Kerle von uns weggelockt!", rief sie begeistert. „Oh, Kija, was würden wir ohne dich machen!" Kim drückte das Tier an sich.

„Freu dich nicht zu früh, da sind noch zwei andere Typen", zischte Julian. „Und die kommen auf uns zu! Runter!" Er legte sich flach auf den Bauch. Etwas pikste ihn in den Oberschenkel, Julian griff danach und hielt einen Stock in der Hand. Ohne groß nachzudenken, schleuderte er ihn weit von sich.

„Da hat irgendwas geraschelt!", ertönte eine Männerstimme. „Die müssen da vorn sein!"

Julian lugte über die Halmspitzen. Zwei dunkle Gestalten entfernten sich in die Richtung, in die er den Stock geworfen hatte. Sein Trick funktionierte!

„Genial!", wisperte Leon.

Vorsichtig glitten die Freunde zurück zum Steinbruch. Ihre Verfolger suchten sie nach wie vor an der falschen Stelle, und so konnten die Kinder entkommen. Sie mieden den Weg, marschierten über Äcker und durch Olivenhaine.

Nach einer Weile fragte Kim: „Sollen wir die Priester alarmieren?"

„Nein!", rief Leon. „Wir wissen nicht, wem wir trauen dürfen."

Julian gähnte laut und vernehmlich. „Nun, Korobios ist doch über jeden Verdacht erhaben, oder?"

Leon wiegte den Kopf. „Lasst uns vorsichtig bleiben. Außerdem: Was haben wir schon zu bieten? Wir haben die Täter nicht erkannt und können daher nicht viel zur Aufklärung des Verbrechens beitragen."

„Stimmt", sagte Kim. „Außerdem würde uns Korobios garantiert rauswerfen, weil wir uns nachts weggeschlichen haben."

Und so beschlossen die Freunde, zunächst einmal nicht Alarm zu schlagen. Weit nach Mitternacht erreichten sie völlig erschöpft den Tempelbezirk.

Leons Trick

Am nächsten Morgen bollerte jemand grob an ihre Tür. Schlaftrunken schaute Leon nach, wer sie geweckt hatte.

Androtion stand draußen und sagte mürrisch: „Ihr sollt umgehend ins Prytaneion kommen. Es gibt eine Versammlung der Priester." Mit diesen Worten war er auch schon wieder verschwunden.

„Was haben wir bei einer Versammlung der Priester verloren?", überlegte Leon laut. Ihm kam ein böser Verdacht. „Hat doch jemand bemerkt, dass wir vergangene Nacht im Steinbruch waren? Will man uns verhören?"

„Gleich werden wir schlauer sein", sagte Kim. „Wir haben keine Wahl. Lasst uns gehen, sonst gibt es Ärger, weil wir uns verspäten."

Korobios wanderte in der Mitte des Raumes auf und ab. Die Priester standen um ihn herum, während Kim, Leon, Julian und Kija im Hintergrund blieben.

„Wieder habe ich eine schlechte Nachricht für euch",

beim Apollon", hob Korobios an. „Wie ihr seht, ist Theodorus nicht unter uns. Er scheint spurlos verschwunden zu sein."

Gemurmel wurde laut. Mit einer Handbewegung brachte Korobios die Priester zum Schweigen.

„Hat irgendeiner von euch etwas beobachtet? Weiß jemand von euch, wo Theodorus ist?", fragte Korobios schneidend.

Niemand antwortete. Nun schritt Korobios die Reihe der Priester ab und sah jedem für ein paar Sekunden in die Augen. Die meisten Priester hielten dem Blick nicht lange stand und schauten zu Boden. Vor allem Androtion wirkte fahrig.

Dann gelangte Korobios zu den Freunden – und auch sie bedachte er mit seinem forschenden Blick. Julian bildete sich ein, dass Korobios gerade ihn besonders intensiv musterte. Er schrumpfte unter den Augen des mächtigen Mannes.

„Und du, mein Junge? Willst du mir vielleicht etwas sagen?", fragte Korobios leise, fast schmeichelnd.

Schüchtern blickte Julian auf und schüttelte den Kopf.

Der Oberpriester nickte bedächtig und seufzte. „Wie schade, dass niemand etwas weiß oder gesehen hat. Dann sind wir ganz auf die Hopliten angewiesen. Sie suchen bereits nach Theodorus. Hoffentlich hat nicht auch er Apollon verärgert und wurde ein Opfer des Fluchs!"

Ein Raunen ging durch die Reihe der Priester.

„Wie ihr wisst, war Theodorus ein Vertrauter von Irini", führte Korobios aus. „Er war so etwas wie ein väterlicher Freund für sie."

Die Freunde sahen sich überrascht an.

„Ja, ich denke, dass Theodorus ihr besonders nahestand", ergänzte der Oberpriester. Tiefe Sorgenfalten standen auf seiner Stirn. „Und nun frage ich mich, ob Theodorus ihr *zu* nahestand ..."

„Du meinst, er hat gewusst, dass Irini verliebt war", vermutete Androtion schmallippig.

Korobios nickte. „Ja, das ist immerhin gut möglich, wenn nicht sogar wahrscheinlich. Und wenn Theodorus Irinis Verrat an Apollon nicht verhinderte, wird Apollon auch ihn nicht geschont haben!"

„Die Erinnyen haben Theodorus geholt", wisperte Androtion höhnisch. „Und jetzt schmort er in der Welt der Finsternis!"

„Und was ist mit uns?", fragte ein anderer Priester furchtsam. „Wir sind eine Gemeinschaft von Priestern, jeder ist für den anderen verantwortlich ..."

Nun begannen alle durcheinanderzureden. Und dies mal gelang es Korobios nur mühsam, die Priester zu beruhigen.

„Bleibt fest in eurem Glauben, so wird euch auch nichts geschehen", sagte er. „Ich trage die Verantwortung für diesen heiligen Ort. Für euch, für Theodorus, für Irini ..."

„Du meinst, dass du der Nächste bist, den der Fluch trifft?", stieß einer der Priester besorgt hervor.

„Möglich", entgegnete Korobios fest und straffte die Schultern. „Aber ich will mich gegebenenfalls der Verantwortung stellen. Das soll nicht eure Sorge sein. Konzentriert euch auf eure Aufgaben. Alles läuft weiter wie gehabt. Und bedenkt: Wir erwarten einen König. Es kann sein, dass Alexander noch heute Abend Delphi erreicht. Und ich will nicht, dass unser Gast von diesen Vorfällen etwas erfährt. Es würde unseren Tempel entscheidend schwächen. Und das will doch niemand von euch, oder?"

Eilig schüttelten die Priester und die Freunde die Köpfe.

Gegen Mittag gelang es Julian, Kim, Leon und Kija erneut, die Tempelanlage heimlich zu verlassen. Noch einmal hatten sie versucht, die rätselhafte Botschaft zu entschlüsseln, aber es war ihnen nicht geglückt. Die Kinder waren davon überzeugt, dass die Lösung des Falls mit diesem Brief zu tun hatte. Nun hofften sie, Melias in der Stadt zu finden. Vielleicht hatte er etwas von

Theodorus gehört. Der Seher hatte seine Augen und Ohren schließlich überall.

Auch diesmal hatten die Freunde Glück: Medias saß in seinem Lieblingsgasthaus „Zum Dionysos" allein vor einem Becher Wein.

„Nanu, keine Kundschaft?", fragte Kim zur Begrüßung.

Der Seher lächelte ihr zu. „Gerade weg." Er zog einen prallen Beutel unter seinem Chiton hervor und ließ die Münzen darin klimpern.

Die Freunde setzten sich an Medias' Tisch.

„Hast du schon gehört, dass …", hob Julian an.

„…Theodorus verschwunden ist?", vollendete Medias den Satz und nahm sich eine schwarze Olive aus einem Schälchen. „Na klar, beim Zeus. Habt ihr etwas damit … zu tun?"

„Wir?" Julian lachte. „Nein, natürlich nicht."

Medias lachte nicht. „Hätte ja sein können. Man hört so einiges", sagte er kühl.

„Wie meinst du das?", fuhr Kim auf.

Medias erwiderte nichts, sondern starrte zur Tür. Die Freunde folgten seinem Blick – und waren erstaunt. Gerade betraten Philippos und Battos die Schenke. Blitzschnell sprang Medias auf. „Zeit zu gehen, Freunde" zischte er, warf ein paar Münzen auf den Tisch und floh durch das offene Fenster nach draußen.

Leon grinste. „Gut, dass Philippos ihn nicht erwischt hat. Der war ja ganz schön sauer auf unseren großartigen Seher."

Philippos und Battos setzten sich an einen Tisch in der Ecke. Während Philippos dumpf vor sich hin brütete, zog sein Vater eine Papyrusrolle aus einem Beutel und breitete sie auf dem Tisch aus. Dann gab er dem Wirt ein Zeichen. Diensteifrig eilte dieser herbei und nahm eine Bestellung auf.

„Was machen die noch hier?", überlegte Kim laut. „Philippos hat das Orakel doch schon befragt."

„Finden wir es heraus", schlug Julian vor und hatte sich schon erhoben.

„Ah, die kleinen Diener aus dem Orakel! Setzt euch doch", begrüßte Battos die Kinder freundlich. Er strich das Papyrusstück vor sich glatt. Dann holte er aus seiner Tasche ein gespaltenes Schilfrohr und Tinte hervor.

„Oh, du musst noch arbeiten?", fragte Kim ihn neugierig.

Battos warf ihr einen gönnerhaften Blick zu. „Geschäftsmänner müssen immer arbeiten, wenn sie Erfolg haben wollen." Dann tunkte er das Schilfrohr in die Tinte und begann zu schreiben.

Unterdessen unterhielten sich die Freunde mit Philippos und versuchten, ihn ein wenig aufzuheitern. Allmählich wurde der junge Mann etwas gelöster – vor allem, als der Wirt für ihn und seinen Vater je einen gro-ßen *Kylix* Wein brachte. Battos lud die Freunde zu Ziegenmilch, Brot und Obst ein. Doch Leon war nicht richtig bei der Sache. Immer wieder warf er einen heimlichen Blick auf die Zeilen, die Battos gerade niederschrieb. Es schien sich um eine Art Vertrag zu handeln. Doch der Inhalt des Schreibens interessierte Leon weniger. Da war etwas anderes, was seine Augen magisch anzog. Und plötzlich wusste er, was es war! Dem Jungen wurde siedend heiß. Seine Gedanken überschlugen sich. Er musste dieses Schreiben haben – unbedingt! Zum Glück kam ihm eine Idee. Scheinbar unabsichtlich stieß er seinen Becher mit Milch um, die sich prompt über den Brief ergoss.

„Kannst du nicht aufpassen?", rief Battos wütend. Er riss den Brief hoch, aber es war schon zu spät: Ein Teil der Tinte hatte sich mit der Milch vermischt und war verlaufen. „So ein Mist!", stöhnte Battos. „Jetzt kann ich noch mal von vorn anfangen."

„War keine Absicht!", sagte Leon schuldbewusst.

„Schon gut", knurrte Battos. „Aber jetzt sieh dich vor!" Und dann tat er das, was Leon gehofft hatte. Battos knüllte den Brief zusammen und warf ihn achtlos unter den Tisch.

Leon spähte hinunter – der Brief lag nicht weit von seinem Fuß entfernt. Nun kam der Wirt und wischte den Milchsee vom Tisch. Niemand achtete auf Leon. Rasch bückte er sich, schnappte sich das Papyrusstück und ließ es unter seinem Chiton verschwinden. Mit klopfendem Herzen setzte er sich wieder auf die Bank und warf verstohlene Blicke in die Runde. Niemand schien seinen Schachzug bemerkt zu haben! Jetzt mussten sie sich hier nur möglichst bald loseisen. Denn Leon brannte darauf, Kim und Julian von seinem Verdacht zu berichten.

Die Lösung

Eine halbe Stunde später war es so weit. Höflich hatten sich die Freunde von Battos und Philippos verabschiedet und rannten zur Tempelanlage zurück

„Seht mal her!", rief Leon aufgeregt, sobald sie wieder in ihrem Zimmer waren, und zog das Schriftstück hervor.

„Woher hast du denn das?", fragte Julian.

Leon grinste verschmitzt. „Das habe ich sozusagen gefunden. Battos hat es vorhin weggeworfen."

„Na und, was willst du damit?", wollten Kim und Julian wissen.

„Kim, hol doch mal den Brief in der Geheimschrift!" bat Leon.

Kim griff unter ihre Schlafmatte und zog das Schreiben hervor. Dann legte sie es neben das Schriftstück von Battos. Und jetzt begriff sie.

„Die Handschrift!", hauchte sie. „Es handelt sich um dieselbe Handschrift!"

„Genau!", rief Leon. „Das ist mir schon in der Wirt

schaft aufgefallen. Um sicherzugehen, habe ich mir Battos' Brief besorgt."

Julian stieß einen anerkennenden Pfiff aus. „Ihr habt Recht: Aber was hat Battos vor? Und wer war der Mann, dem er das Schreiben gegeben hat?"

Leon lief im Raum auf und ab. Plötzlich schnippte er mit den Fingern. „Vielleicht war es ja so: Battos wollte mit allen Mitteln erreichen, dass sein Sohn die reiche Phano heiratet. Also bestach er einen der Priester und vielleicht sogar die Pythia selbst!"

„Keine schlechte Theorie", murmelte Kim. „Vielleicht war dieser Priester Theodorus. Und womöglich hat Philippos von dem Betrug Wind bekommen und Theodorus ermordet. Er wollte Rache!"

Julian verzog das Gesicht. „Ich weiß nicht. Für diese Mordtheorie gibt es überhaupt keine Indizien. Außerdem frage ich mich, was das Ganze mit Irinis Verschwinden zu tun haben könnte."

„Ein berechtigter Einwurf", sagte Leon. „Für mich kommt noch etwas anderes hinzu: Jemand, der einen Mord begangen hat, verschwindet möglichst schnell. Aber Philippos ist noch hier …"

„Immerhin hätte Philippos ein starkes Motiv", widersprach Kim. „Außerdem sollten wir …" Sie brach mitten im Satz ab, weil ihr Blick auf Kija gefallen war. Deen Ohren war leicht angelegt. Keine Frage, die Katze war nervös. Auf Zehenspitzen schlich Kim zur Tür und riss sie ruckartig auf.

„Guten Tag", sagte das Mädchen in das verdutzte Gesicht von Androtion.

Der Mund des Priesters war nur ein Strich. „Man trug mir auf, nach euch zu suchen. Ihr sollt zum Apollon-Tempel kommen. Gleich wird ein Orakel gesprochen und man braucht eure Hilfe", zischte er.

„Bist du dir sicher, dass dir nicht viel eher aufgetragen wurde, an unserer Tür zu lauschen?", bohrte Kim nach.

„Werde nicht frech!", warnte der Priester und verschwand.

„Dieser Androtion ist so was von unsympathisch", stöhnte Kim. Sie versteckte die beiden Briefe unter ihrer Matte.

Es sollte bis zum frühen Abend dauern, bis die Freunde sich wieder mit den Briefen beschäftigen konnten. Um ungestört zu sein, hatten sie die Schriftstücke aus ihrem Zimmer geholt und saßen nun hinter einem Schatzhaus, das sie vor neugierigen Blicken verbarg.

Kim hatte die beiden Briefe auf den Boden gelegt und mit Kieselsteinen beschwert, damit sie der Wind nicht wegtragen konnte. Sie starrte auf die Geheimschrift des einen Schreibens. „Was, um alles in der Welt soll dieses Kauderwelsch nur bedeuten?", fragte Kim und las erneut die erste Zeile vor. „Ni xy mm ab da ru sa wr ls ... Wenn wir diese Nuss knacken, sind wir der Lösung des Falls ein gutes Stück näher."

Julian seufzte. „Leider habe ich absolut keine Ahnung, wie wir den Code entschlüsseln können."

„Ein menschliches Gehirn hat sich diese Geheimschrift ausgedacht. Also muss es anderen menschlichen Gehirnen doch gelingen, dieses Geheimnis zu lüften!", sagte Kim.

Kija schlich um die Freunde herum, rieb sich an Kims Beinen und stolzierte schließlich geradewegs auf die Briefe zu. Die Katze beugte sich über die Schriftstücke, als wolle sie diese lesen. Dann schnappte sie sich ein Kieselsteinchen und rollte es zwischen den Pfoten hin und her.

„Nein, Kija, hier kannst du jetzt nicht spielen", sagte Kim.

Doch die Katze hörte nicht auf sie, sondern rollte das Steinchen auf eine bestimmte Stelle des Textes und holte sich das nächste.

„Du sollst das lassen!", rief Kim eine Spur schärfer und wollte Kija schon aufheben. Doch plötzlich hielt sie inne. Denn Kija hatte auch den zweiten Kieselstein platziert. Es war nicht irgendeine Stelle, wo das Steinchen lag! Die Katze hatte den ersten Kiesel genau auf den

111

dritten und vierten Buchstaben gelegt, dann zwei Buchstaben frei gelassen und mit dem zweiten Stein den siebten und achten Buchstaben abgedeckt. Und plötzlich stand dort das Wort „Nimm"!

„Unglaublich!", rief Kim. „Das ist die Lösung!" Kim streichelte dem klugen Tier über den Kopf. „Wir müssen immer zwei Buchstaben frei lassen, dann zwei abdecken!"

Keine drei Minuten später las Kim mit klopfendem Herzen die gesamte Botschaft vor: „Nimm das als Anzahlung. Der Rest folgt später. Irini und die anderen müssen aber endlich verschwinden! Sie können nicht länger in der Papadia-Schlucht bleiben."

Fassungslos schauten sich die Freunde an.

„Was heißt hier Anzahlung? Was hat Battos noch vor?", überlegte Leon.

„Das frage ich mich auch", sagte Julian. „Aber viel wichtiger ist doch, dass Irini, Theodorus und Sitalkes offenbar noch am Leben sind! Sie scheinen irgendwo in der Papadia-Schlucht festgehalten zu werden."

„Wir müssen sie befreien!" Kim steckte den Brief ein und erhob sich. „Und wir dürfen keine Zeit verlieren. Battos schreibt schließlich, dass die Gefangenen nicht länger in der Schlucht bleiben dürfen. Wer weiß, was die Täter mit ihnen vorhaben …"

„Was schlägst du vor?", wollte Julian wissen.

„Wir durchsuchen die Schlucht. Und zwar jetzt gleich!"

Gefährlicher Abstieg

Erneut gelangten die Freunde ungehindert aus der Tempelanlage und rannten zur Schlucht. Grau, steil und unbezwingbar ragten die Wände auf. Ein Weg schlängelte sich neben einem Wasserlauf entlang, der von der Kastalischen Quelle gespeist wurde.

Leon kletterte auf einen großen Stein und blickte sich um. Enttäuscht wandte er sich zu den Freunden: „Mist, ich kann nur in einen kleinen Teil der Schlucht blicken. Und da ist nichts Verdächtiges zu sehen."

„Macht nichts, weiter!", drängte Kim und ging zügig voran.

Die Kinder drosselten ihr Tempo. Das Gelände war unübersichtlich. Dichte Büsche standen rechts und links des Pfades. Immer wieder lagen Felsbrocken herum, die ebenfalls gute Versteckmöglichkeiten boten. Keine Frage, das Gelände war geradezu ideal für einen Hinterhalt … Vorsichtshalber vermieden sie jedes unnötige Wort und achteten darauf, sich möglichst geräuschlos zu bewegen.

Plötzlich hob Kim die Hand. Die anderen stoppten. Der Weg war jetzt kaum breiter als ein halber Meter und machte einen scharfen Knick. Was lag dahinter? Kim schlich voran und bog ein paar Zweige zur Seite, die ihr die Sicht versperrten. Ihre Augen wurden schmal. Der Weg verlor sich im Dickicht. Offenbar wurde er so gut wie nie benutzt. Rechts vor Kim ragte die Felswand senkrecht nach oben. Ein Riss durchzog den Fels, der sich nach unten zu einem Höhleneingang erweiterte, gerade breit genug, dass sich eine Person hindurchzwängen konnte.

Gerade als Kim sich zu ihren Freunden umdrehen wollte, stockte ihr der Atem. Ein Mann tauchte in der Felsspalte auf! Kim verschwand hinter dem Busch, spähte durch die Zweige und winkte Julian und Leon heran. Der Mann lungerte genau vor dem Höhleneingang herum. Er trug ein Schwert am Gürtel und war außerdem mit Pfeil und Bogen bewaffnet. Jetzt hockte er sich auf einen Baumstumpf und spitzte die Lippen, als ob er ein Lied pfeifen wollte. Doch kein Ton war zu hören. Eine Minute verstrich. Dann stand der Mann unschlüssig auf und begann, vor der Höhle auf und ab zu gehen.

„Der bewacht jemanden", hauchte Kim. „Und zwar Irini, Theodorus und Sitalkes, Jungs."

Leon und Julian nickten.

„Aber wie sollen wir an dem Kerl vorbeikommen?", wisperte Leon. „Er ist bewaffnet!"

„Durch diesen Eingang kommen wir tatsächlich nicht", murmelte Julian. „Aber vielleicht durch einen anderen. Womöglich gibt es noch einen zweiten Zugang zu der Höhle. Wir sollten uns weiter umsehen. Rückzug!"

Julian übernahm jetzt die Führung. Unvermittelt blieb er an zwei Ginsterbüschen stehen. „He, hier ist ja noch ein Pfad. Den haben wir vorhin wohl glatt übersehen."

„Scheint aber nur von irgendwelchen Tieren benutzt zu werden", vermutete Leon. „Für Menschen ist er zu schmal."

„Ach was, lasst es uns versuchen!", sagte Julian und ging voran. Eine mühselige Kletterei begann. Denn zum einen war der Pfad wirklich sehr schmal, zum anderen führte er steil bergauf.

„Komme mir vor wie eine Bergziege", ächzte Julian, während er sich an einem Fels hinaufzog.

Der schmale Trampelpfad endete plötzlich am mächtigen Wurzelwerk eines Olivenbaumes, der sich an den Hang krallte. Die Freunde standen nun fast unmittelbar oberhalb des Eingangs zur Höhle.

„Das war's dann ja wohl", sagte Leon leise. „Endstation."

„Nicht so voreilig!" Julian war hinter den Olivenbaum getreten. „Hier ist ein Loch im Fels!"

Leon und Kim kamen hinzu.

„Meinst du, dass das ein zweiter Eingang zur Höhle ist?", fragte Leon. Das Loch war fast kreisrund und maß etwa 30 Zentimeter im Durchmesser.

„Keine Ahnung, möglich wär's immerhin." Julian nahm einen Stein und ließ ihn in das Loch fallen. Es vergingen ein paar Sekunden, bevor der Aufprall zu hören war.

„Jedenfalls geht's da recht tief runter, das steht fest", ergänzte Leon. Im immer schwächer werdenden Tageslicht erkannte er Felsen, die fast treppenförmig angeordnet waren. Entschlossen hockte er sich auf den Rand des Lochs und ließ die Beine hinab.

„Du willst doch da nicht etwa runter?", fragte Julian.

„Doch, aber ich fürchte, ich komme nicht durch das Loch", vermutete Leon. Er hatte Recht – seine Schultern passten nicht hindurch.

„So ein Pech", sagte Kim ärgerlich. Ihr Blick fiel auf Julian. „Aber du könntest hindurchpassen …"

„Ich? Muss das wirklich sein?" Julians Stimme zitterte ein wenig.

Leon und Kim sagten nichts.

Also gut, dachte Julian, ich werde es probieren. Er holte ein paarmal tief Luft und ließ sich dann in das

Loch hinab. Seine Füße fanden Halt auf den Steinen unmittelbar unterhalb des Eingangs und tasteten sich ein Stück tiefer. Dann verschwand Julians Hüfte in dem Loch, dann sein Bauch und die Brust. Nun kam der spannende Moment – die Schultern. Mit bangen Blicken verfolgten Leon und Kim Julians Anstrengungen. Doch es gelang! Wie ein Schlangenmensch zwängte und wand er sich durch das Loch, und schließlich verschwand auch sein Haarschopf darin.

„Super, Julian!", flüsterte Leon und beugte sich dicht über den Eingang. „Wie sieht's aus?"

„Könnte klappen", kam es leise zurück. „Hier wird es scheinbar etwas breiter. Und sehen kann ich auch einigermaßen."

„Sei bloß vorsichtig!"

„Ach ne", erwiderte Julian. „Bis gleich."

Dann begann er mit dem Abstieg. Die Steine boten ihm genügend Halt und plötzlich fühlte Julian sich unglaublich gut. Er war nie besonders glücklich darüber gewesen, dass er so zierlich war. Aber jetzt, jetzt war das endlich mal ein Vorteil! Systematisch hangelte er sich nach unten, seine Bewegungen wurden sicherer und immer schneller.

Zu schnell. Denn plötzlich rutschte Julians rechter Fuß von einem glatten Stein ab. Er verlor den Halt und rauschte in die Tiefe. Sein Mund öffnete sich zu einem

Schrei, doch genau in diesem Augenblick wurde der Sturz jäh gebremst. Julian schlug auf dem Boden auf und rollte sich instinktiv ab. Mit jagendem Puls blieb er liegen und schloss die Augen. Hatte er sich verletzt? Behutsam zog er die Beine an. Keine Schmerzen! Auch der Rest seines Körpers sendete keine Alarmsignale. Erleichtert schlug Julian die Augen auf.

Aber dann fiel ihm der Wächter am Höhleneingang ein. Hatte er etwas gehört? Julian lauschte angestrengt. Doch kein Geräusch drang an seine Ohren.

Julian rappelte sich auf. Er hatte den ersten Teil seiner Mission hinter sich. Der zweite Teil würde womöglich weitaus schwieriger werden. Wo waren die Gefangenen, falls sie überhaupt in diese Höhle verschleppt worden waren?

Schemenhaft erkannte Julian, dass er sich am Ende einer länglichen Höhle befand, aus der nur ein Weg zu führen schien. Er streckte den rechten Arm aus und tastete sich an der Wand entlang. Die Sichtverhältnisse wurden immer schlechter, je weiter er ging. Julian zögerte. Was wäre, wenn sich plötzlich ein Spalt, heimtückisch verborgen in der Dunkelheit, unter seinen Füßen auftat? Das gute Gefühl, das Julian gerade noch beim Abstieg verspürt hatte, schwand wie das Licht, das langsam hinter ihm zurückwich. Er hatte Angst.

Doch Julian ging weiter. Vorsichtig schob er einen

Fuß vor den anderen. Plötzlich hielt er inne. Hatte er da gerade Stimmen gehört? Julian lauschte, wagte nicht mehr zu atmen. Doch, richtig, da waren Stimmen! Sein Herz hüpfte. Jetzt war er ganz nah dran! Etwas mutiger wagte er sich weiter vorwärts. Ein tröstender Streifen Licht fiel auf den Boden vor ihm und wurde rasch kräftiger. Auf Zehenspitzen schlich Julian weiter. Die Höhle wurde nun breiter. Das Licht von Fackeln erhellte einen großen Felsenraum, den ein Fluss im Laufe der Jahrtausende in den Berg gespült haben mochte.

Julian ließ sich auf die Knie sinken und krabbelte auf allen vieren weiter. Er erreichte ein Sims im Fels, spähte darüber. Seine Augen wurden groß. Da waren Theodorus und Sitalkes sowie eine junge Frau! Bei ihr handelte es sich bestimmt um Irini! Die drei waren mit groben Stricken an Händen und Füßen gefesselt und hockten nebeneinander an einer Felswand. Vor ihnen standen ein Krug und die Reste einer Mahlzeit. Von ihrem Bewacher war nichts zu sehen.

Julian jubelte innerlich. Er hat die Gefangenen gefunden! Und was noch viel wichtiger war: Sie waren noch am Leben! Er verließ seine Deckung und lief geduckt zu den Gefangenen.

Deren Münder klappten erstaunt auf, als sie den Jungen sahen.

„Wie bist du …", stotterte Theodorus.

„Pst!", machte Julian. „Wir müssen aufpassen, dass uns der Wächter nicht bemerkt!"

Der Priester gehorchte.

Konzentriert begann Julian mit der Arbeit. Zuerst versuchte er, die junge Frau zu befreien.

„Du bist Irini, die Pythia, nicht wahr?", fragte er leise.

Die junge Frau nickte. „Und wer bist du, beim Apollon?"

„Später", flüsterte Julian, während er mit einem Knoten kämpfte, der sich als sehr hartnäckig erwies. Der Junge riss, zupfte, zog – und endlich gelang es ihm, den Knoten zu lockern. Die Pythia bekam die Hände frei und löste nun die Fesseln an ihren Füßen. Dann befreiten sie gemeinsam die beiden Männer.

„Danke", wisperte Theodorus. „Und jetzt werden wir uns um den Wächter kümmern. Ah, das ist ja schon etwas Passendes!" Er hob den Krug hoch und wog ihn in seinen Händen, als habe er gerade einen Klumpen Gold gefunden. Er zwinkerte Sitalkes zu. „Komm!"

„Aber gern, beim Pan", antwortete der Hirte.

Julian beobachtete, wie die Männer zum Höhleneingang schlichen. Dort versteckten sie sich und riefen nach ihrem Bewacher. Kurz darauf erschien der Bewaffnete und lief genau in die Falle. Sobald er die Höhle betrat, traf ihn der Krug am Kopf und schickte ihn ins

Land der Träume. Schnell verschnürten Theodorus und Sitalkes ihren einstigen Bewacher. Außerdem verpassten sie ihm einen Knebel.

„So, das hätten wir", sagte der Priester erleichtert. Dann wandte er sich an Julian. „Noch einmal vielen Dank. Aber nun musst du uns erzählen, wie du uns gefunden hast, beim Zeus!"

„Gleich, ich werde nur schnell meine Freunde holen", erwiderte Julian.

Das falsche Siegel

Wenig später schlossen Kim und Leon Julian in die Arme. Dann begrüßten sie Irini, Theodorus und Sitalkes. Anschließend berichtete Julian, wie er die drei Gefangenen befreit hatte.

„Und wie habt ihr uns nun gefunden?", wiederholte Theodorus seine Frage.

Nun war es Kim, die ausführlich von der Detektivarbeit der Freunde berichtete. Immer wieder nickte der Priester anerkennend. „Beim Apollon, ihr seid wirklich gut!" Er bedachte Kija mit einem wohlwollenden Blick. „Und diese schlaue Katze hat euch geholfen. Wirklich sehr beachtlich! Doch dass dieser Battos aus Tyros hinter all dem steckt, hätte ich nie gedacht!"

„Jetzt seid ihr dran", schloss Kim ihren Bericht. „Wer hat dich gefangen genommen, Irini?"

Die Pythia ballte die Fäuste. „Es war Korobios!", stieß sie hervor.

Die Freunde sahen sich verdattert an. „Der Oberpriester?"

„Genau der!", bestätigte Irini.

„Aber warum denn?"

Die Pythia sah zum Himmel, der sich violett gefärbt hatte. „Ich habe einen Brief bekommen. Er hatte keinen Absender. Der Verfasser wollte wissen, ob ich bereit sei, beim Orakel zu betrügen. Gold und Silber sollten mein Lohn sein. Wenn ich einverstanden gewesen wäre, hätte ich den Brief unter einen bestimmten Stein an der Kastalischen Quelle legen sollen."

„Was du nicht getan hast", vermutete Julian.

„Richtig", erwiderte Irini. „Stattdessen ging ich mit dem Brief zunächst zu Theodorus und vertraute mich ihm an. Dann sagte ich auch Korobios Bescheid – und genau das war mein Fehler. Als ich nämlich am nächsten Tag wie gewöhnlich zur Quelle ging, lauerte er mir mit Androtion und einem Komplizen auf und entführte mich. Ich wehrte mich nach Leibeskräften … aber es nützte nichts." Irini stockte. Sie schien mit den Tränen zu kämpfen.

„Daher das Blut am Tatort", murmelte Leon.

„Ja", erwiderte Irini und deutete auf einen Verband an ihrem Arm.

„Korobios scheint mit dem Absender des Briefes unter einer Decke zu stecken. Ich war den beiden im Weg, also wurde ich entführt und in die Höhle gesperrt", fuhr sie fort.

Betroffen nickte Kim. „Dann wurde die neue Pythia Thargelia ins Amt gehoben. Vermutlich ist sie bestechlich."

Sitalkes trat einen Schritt vor. „Ich habe gesehen, wie Irini entführt wurde. An jenem Morgen war ich zufällig mit meiner Herde in der Nähe der Quelle. Da hörte ich Schreie und rannte hin. Ich verbarg mich hinter einem Busch und beobachtete, wie Irini gefesselt und auf ein Pferd gehoben wurde. Ich war wie gelähmt vor Angst."

„Warum hast du nicht später Alarm geschlagen?", fragte Julian.

Der Hirte blickte verlegen zu Boden. „Das wollte ich zunächst auch", sagte er. „Aber als Korobios die Lüge verbreitete, dass Irini mit einem Liebhaber durchgebrannt sei, habe ich geahnt, dass der Oberpriester hinter der Tat steckt. Und da bekam ich es mit der Angst zu tun. Korobios ist in Delphi sehr mächtig, wisst ihr? Im Olivenhain wollte ich euch dann alles erzählen, doch dann kamen diese unheimlichen Gestalten! Sie müssen euch nachgeschlichen sein und haben uns offenbar belauscht. Die Kerle haben mich weggeschleppt und zu Irini in diese Höhle gesteckt."

„Wo euch wenig später Theodorus unfreiwillig Gesellschaft leisten musste", ergänzte Julian. „Du warst es doch, der sich heimlich mit uns im Steinbruch treffen wollte, oder?"

„Ja, mir war nicht verborgen geblieben, dass ihr den Tätern auf der Spur seid. Und da wollte ich euch informieren, dass die Täter versucht hatten, Irini zu bestechen. Aber woher wisst ihr, dass ich der Absender der geheimen Botschaft an euch war?"

„Wir haben deine Kette im Steinbruch gefunden", erläuterte Julian.

„Ach so", sagte Theodorus. „Die habe ich verloren, als ich mich gegen die Angreifer gewehrt habe. Aber auch ich war machtlos gegen die Überzahl."

Julian hockte sich auf einen großen Stein. „Sieht so aus, als hätten wir es mit einer richtigen Bande zu tun. Immerhin kennen wir die beiden Haupttäter."

Irini zog eine dünne Schriftrolle unter ihrem Himation hervor. „Und das können wir ebenfalls als Beweis benutzen. Garantiert hat Battos auch diesen Brief verfasst. Und alles nur, damit sein Sohn die seiner Meinung nach richtige Frau heiratet."

Julian wurde nachdenklich. „Darf ich den Brief mal sehen?"

Die Pythia gab Julian das Schreiben. Vorsichtig breitete Julian es auf dem Boden aus. Seine Freunde beugten sich über ihn und vertieften sich in den kurzen Text.

Plötzlich stutzte Julian. „Hier unten sind Reste eines Siegels zu sehen."

„Zeig mal her", entgegnete Irini. „Manche reichen

Leute haben ihr ganz eigenes Papyrus mit einem Zeichen darauf." Die Pythia untersuchte das Schreiben. „Ist mir noch gar nicht aufgefallen. Aber das ist das Siegel der Stadt Theben", sagte sie schließlich.

„Wie bitte?", entfuhr es Julian. „Das ist unmöglich!"

„Nein", widersprach die Pythia, „ich bin mir absolut sicher." Sie reichte das Papyrusstück an Theodorus weiter, der ihr Recht gab.

„Sehr interessant", murmelte Julian und stand nachdenklich auf. Einen Moment herrschte Stille. Dann klatschte er in die Hände. „Ich hab's!"

„Was denn? Nun sag schon!", drängte Kim voller Ungeduld.

„Battos hat doch stets behauptet, dass er aus Tyros kommt. Aber offenbar hat er gelogen – er stammt aus Theben. Battos muss einen Grund für diese Lüge haben. Und ich habe eine Idee, was ihn dazu getrieben haben könnte: Die Stadt Theben ist ein Feind von König Alexander!" Der Junge machte eine Kunstpause.

„Ich verstehe ehrlich gesagt kein Wort von dem, was du da sagst", gab der Hirte zu.

„Ich schon." Kim sah Julian an. „Du meinst wohl, dass Battos gar nicht wegen seines Sohnes hier ist, sondern wegen König Alexander!"

„Du hast es erfasst!", rief Julian. „Denn auch Alexander will das Orakel befragen. Und von diesem Orakelspruch hängt es vielleicht ab, ob Alexander Theben angreifen wird!"

„Beim Apollon, das ist ein kühner Gedanke!", rief Theodorus. „Aber er ist auch ausgesprochen logisch, mein Junge."

„Das finde ich auch", fiel Irini dem Priester ins Wort. „Denn das würde den hohen Aufwand erklären, den Battos und Korobios betrieben haben! Die beiden wollen den Orakelspruch für Alexander in ihrem Sinne manipulieren!"

„Zu dumm, dass wir diese Theorie nicht beweisen können", seufzte Leon.

„Pst, seid mal leise!", zischte in diesem Moment Kim. Angespannt lauschten sie. Undeutlich klang Jubel zu ihnen hinauf.

„König Alexander!", rief Theodorus. „Bestimmt hat er soeben die Stadt erreicht! Wir müssen etwas unternehmen, bevor es zu spät ist. Lasst uns aufbrechen!" Schon lief er Richtung Delphi.

Doch Kim bremste ihn. Denn plötzlich war ihr etwas eingefallen. „Langsam, nichts überstürzen!", bat sie den Priester. „Ich habe eine Idee, wie wir überprüfen können, ob Korobios, Battos und Thargelia tatsächlich den so wichtigen Orakelspruch für Alexander fälschen wollen!" Und dann weihte sie die anderen in ihren kühnen Plan ein.

Die Betrüger

Die Stadt glich einem Lichtermeer. Hunderte von Fackeln erleuchteten die Orakelstätte, als die Freunde mit Irini, Sitalkes und Theodorus ankamen. Vor dem Haupttor zur Tempelanlage hatte sich eine große Menschenmenge versammelt. Er wurde gejubelt, geklatscht und gepfiffen. Die Begeisterung galt einer Art Prozession, die zum Orakel hinaufzog.

Irini hatte ihr Gesicht unter einem Kredemnon verborgen, damit man sie nicht erkennen konnte und der Plan in Gefahr geriet. Doch für Theodorus und Sitalkes fehlte noch jede Tarnung.

„Wir brauchen ein Versteck in der Nähe des Tempels", sagte Leon. „Ich gehe mal nachschauen."

Während die anderen abseits der Straße warteten, wurde Leon rasch fündig. In der Nähe des Haupttores stand ein Bauernkarren mit einer Stoffplane, die die Fracht tagsüber vor der sengenden Sonne oder Dieben schützen sollte. Leon hob die Plane an und schaute darunter. Die Ladefläche war leer! Er lief zu seinen Freunden zurück und führte sie zum Wagen. Unbemerkt von der Menschenmasse, deren Augen auf die Straße gerichtet waren, verbargen sich Theodorus und Sitalkes unter der Plane.

Dann drängelten sich Kim, Leon und Julian nach vorn zur Straße. Irini blieb weiter hinten in der Menge, das Kopftuch tief ins Gesicht gezogen.

„Ist das der Tross von Alexander?", fragte Kim einen der Soldaten, die die Straße sicherten.

„Ja", kam es militärisch knapp zurück.

Ein Trupp Bogenschützen tauchte jetzt auf, offenbar die Vorhut.

„Seht nur, das Tor wird geöffnet!", rief Leon.

Knarrend schwang die schwere Pforte auf – und Korobios erschien in einem blütenweißen Umhang, umgeben von einigen anderen Priestern. Androtion hielt sich dicht an Korobios' Seite.

Korobios ließ seinen Blick über die Menge gleiten. Er wirkte nervös. Julian und Leon sahen zu Kim und nickten ihr zu. Das war ihr Zeichen! Sie lief los. Unterdessen nahm Julian die Katze auf den Arm. Kijas Augen waren weit geöffnet, ihr Schwanz peitschte unruhig hin und her. Ängstlich spähte sie Kim hinterher, die sich mühsam einen Weg zu Korobios bahnte.

Jetzt erreichte Kim den Oberpriester.

„Was willst du?", fragte er ungehalten. „Du hast hier

nichts verloren. Und wer hat dir erlaubt, den heiligen Bezirk zu verlassen?"

Kim ging nicht auf die Fragen ein. „Ich soll dir etwas Wichtiges geben und …"

„Jetzt nicht!", unterbrach der Oberpriester sie. „Verschwinde!"

„Es ist wirklich von höchster Wichtigkeit", beharrte Kim. Sie zog eine Schriftrolle hervor. „Ein Brief aus Theben!"

Korobios' Augen weiteten sich. „Das ist etwas anderes", sagte er rasch. „Gib her!" Mit zitternden Fingern riss er die Rolle auf und überflog den Text.

Kim ließ den Oberpriester nicht aus den Augen. So entging ihr nicht, dass er plötzlich sehr blass wurde.

„Lauf zu dem Mann, der dir dieses Schreiben gegeben hat, und sag ihm, dass trotzdem alles gut gehen wird. Ich habe alles im Griff, sag ihm das!", verlangte Korobios eindringlich. Seine Stimme bebte.

Kim verschwand wieder. Sobald sie sicher war, dass Korobios sie nicht mehr sehen konnte, schlich sie sich wieder zu ihren Freunden. Unterwegs stockte ihr der Atem. Sie hatte Battos und seinen Sohn Philippos in der Menschenmenge entdeckt. Kim machte sich ganz klein und huschte zu Leon, Julian, Kija und den anderen.

„Und?", fragten diese.

Kim grinste. „Er hat den Köder geschluckt!"

„Sehr gut!" sagte Julian. „Schaut nur, das muss Alexander sein!", rief er aufgeregt und deutete nach vorn.

Ein junger Mann mit einem scharf geschnittenen Gesicht ritt langsam auf einem gewaltigen Ross heran – Alexander auf Bukephalos. Sein goldener Brustpanzer blitzte im Fackelschein. Flankiert wurde der König von finster dreinblickenden, schwer bewaffneten Leibwächtern, den *Somatophylakes*. Dahinter folgte eine wahre Heerschar von Dienern. Unmittelbar vor dem Tor zur Tempelanlage stoppte der Zug. Stolz, fast ein wenig überheblich blickte Alexander auf Korobios herab. Jetzt erstarb das Geschrei.

„Ich grüße dich, großer König von Makedonien", rief Korobios in die Stille hinein und verbeugte sich tief. „Es ist eine Ehre für uns, dich empfangen zu dürfen. Hier, in unserem Heiligtum, das dem Gott des Lichts geweiht ist. Apollons alles überstrahlendes Licht möge auf dich fallen, edler König, und dich leiten in Zeiten der Dunkelheit. Es möge dich wärmen in Zeiten der …"

„Schön gesprochen, Priester", unterbrach ihn Alexander. „Aber mein Weg war weit und meine Zeit ist knapp. Ich möchte das Orakel befragen."

Korobios verbeugte sich erneut. „Selbstverständlich. Gleich morgen wollen wir damit beginnen."

„Nein", erwiderte der König kühl. „Jetzt sofort."

Aufgeschreckt tuschelte Korobios mit seinen Priestern. Dann nickte er und sprach: „Natürlich, wenn du es wünschst, großer König."

„Gut", sagte Alexander nur und schickte sich an, durch das große Tor zu reiten.

„Vorsicht, Korobios ist ein Betrüger!", schrie in diesem Moment Kim. Sie war zwischen zwei Hopliten hindurch auf den Weg geschlüpft. Sofort griffen starke Arme nach ihr und wollten sie wegzerren.

„Stopp!", befahl der König. „Bringt das Mädchen her!"

Die Soldaten schleiften Kim nach vorn. Unruhe brach in der Menge aus, die Leon, Julian und die anderen dazu nutzten, sich ebenfalls dichter an Alexander heranzuschieben.

„Aber, mein König", rief Korobios, während er Kim mit einem warnenden Blick bedachte, „du willst doch nicht auf dieses törichte Kind hören! Dafür ist deine Zeit viel zu schade!"

Alexander runzelte die Stirn. „Vermutlich hast du Recht, beim Zeus. Aber dennoch, jeder hat eine Chance verdient. Also, Mädchen: Was hast du da gerade gesagt?"

„Das ist doch völlig lächerlich, achte nicht auf sie", rief Korobios flehentlich. „Bedenke doch bitte, dass ..."

Mit einer ärgerlichen Handbewegung stoppte der König das Gejammer.

„Korobios ist ein Betrüger!", wiederholte Kim fest und sank vor dem Herrscher auf die Knie. „Er will das Orakel für dich, großer König, fälschen!"

Ein Raunen ging durch die Menge.

„Lächerlich, einfach lächerlich!", stammelte Korobios.

„Keineswegs!", erwiderte Kim ruhig. „Ich kann es beweisen!"

„Das hoffe ich für dich, Kleine!", sagte der König kalt. „Sonst bist du so gut wie tot."

Kim wurde heiß. Jetzt durfte sie sich keinen Fehler erlauben, keinen auch noch so kleinen.

„Ich habe Korobios gerade einen Brief überbracht. Er ist in einer Geheimschrift verfasst, die er und sein Komplize Battos benutzen", begann sie. „Korobios hat den Brief unter seinem Chiton! Und dieser Brief ist mein Beweis!"

„Ist das wahr, hast du einen solchen Brief?", fragte der König.

Schweiß trat auf die Stirn des Oberpriesters. „Nein", erwiderte er.

„Er lügt!", rief Kim. „Ihr müsst ihn durchsuchen!"

Der König beugte sich auf seinem Pferd vor. „Ist das wirklich nötig, Korobios?" Er gab einem seiner Leibwächter einen Wink, und der Soldat zog sein Schwert.

„Fasst mich nicht an!", fauchte der Oberpriester und

zog das Schreiben widerstrebend hervor. Ein Soldat nahm es ihm ab und gab es Alexander.

Der König versuchte, den Text zu entziffern. „Was soll das?", fragte er und ließ den Brief sinken. „Ich verstehe kein Wort."

„Aber ich!", rief Kim, die sich nun sicherer fühlte. „Denn meine Freunde und ich haben die Geheimschrift entschlüsselt." Sie winkte Julian, Leon und Kija heran.

Dann las sie den Inhalt der mysteriösen Botschaft laut vor: „Irini, Theodorus und Sitalkes sind befreit worden! Wir müssen Alexanders Orakelspruch später fälschen – nachdem wir die drei wieder geschnappt haben! Battos."

„Alles Lug und Trug!", tobte Korobios.

„Unsinn, du bist uns in die Falle gegangen!", triumphierte Kim. „Denn wir haben diesen Brief geschrieben. Und die Tatsache, dass du ihn entziffern konntest, zeigt, dass du mit dem Absender Battos unter einer Decke steckst! Außerdem haben wir noch einen zweiten Brief, der auch in dieser Geheimschrift verfasst wurde – ebenfalls von Battos."

„Battos? Wer ist das nun wieder?", verlangte der König zu wissen.

„Ein Kaufmann, angeblich aus Tyros. Doch in Wirklichkeit stammt er aus Theben. Battos ist hier unter den Zuschauern!", erklärte Kim.

Alexander stutzte. „Theben? Bringt diesen Battos her!", ordnete er an. Es dauerte keine Minute, bis seine Soldaten den sich wehrenden Kaufmann heranschleppten. Hinter ihm folgte sein Sohn Philippos.

„Sie haben die Pythia Irini entführt, weil diese sich weigerte, einen Orakelspruch zu fälschen!", setzte Kim ihre Anklage fort.

Korobios lachte hysterisch. „Was für eine Fantasie du hast! Nichts davon ist wahr!"

Da teilte sich die Menge – und eine junge Frau trat hervor. Sie zog ihr Kredemnon herunter. Begeisterte Rufe wurden laut: „Irini! Irini!"

„Ja, es stimmt: Korobios hat mich verschleppt!", bestätigte die Pythia. Und dann erzählte sie, was sich alles ereignet hatte.

Mit jedem Wort wurde Korobios ein Stück kleiner. Als auch noch Theodorus und Sitalkes auf der Bildfläche erschienen, brach der Oberpriester regelrecht zusammen.

„Und ihr hattet also vor, meinen Orakelspruch zu fälschen", fasste der König zusammen. „Wolltet ihr verhindern, dass ich Theben angreife?"

Korobios und Battos schwiegen.

„Ich verfüge über Mittel und Wege, eure Zungen zu lockern", drohte Alexander und deutete auf seinen Leibwächter mit dem Schwert.

Battos hob abwehrend die Hände. Angst lag in seinen Augen. „Schon gut. Ich bin ein Agent und arbeite im Auftrag von Theben. Meine Aufgabe war es, dich von deinen Kriegsplänen abzubringen. Denn wir wissen nur zu gut um deine Überlegenheit. Und wir wissen auch, dass du sehr religiös bist. Als unsere Spitzel berichteten, dass du dich auf den Weg zum Orakel gemacht hast, um es zu fragen, ob du den Krieg beginnen sollst, haben wir schnell gehandelt. Das war unsere Chance! Wenn die Pythia vom Krieg abgeraten hätte, wärst du wohl nicht in die Schlacht gezogen."

Der Agent machte eine kleine Pause, bevor er fortfuhr: „Doch die Sache war gar nicht so einfach. Diese Pythia Irini spielte leider nicht mit. Dafür aber Korobios und Androtion. Sie schalteten Irini aus und setzten eine andere Priesterin ein, die für Gold empfänglicher ist – Thargelia."

„Ja", bestätigte Korobios leise. „Irini musste weg. Ich ließ sie entführen. Dann berief ich mich auf den Fluch des Orakels, um eine Erklärung für ihr Verschwinden geben zu können. Alles lief nach Plan. Doch dann tauchten diese Kinder mit ihrer Katze auf und brachten alles durcheinander." Er warf den Freunden einen bösen Blick zu. „Ich versuchte die Kinder zu kontrollieren, indem ich sie bei uns aufnahm. Außerdem ließ ich sie nicht mehr aus den Augen. Dafür sorgte Androtion."

Hektisch blickte sich der kleine Priester um. Er wirkte wie jemand, der plötzlich ungewollt auf einer großen Bühne steht.

„Dann erfuhr ich, dass Irini Theodorus von Battos' erstem Brief erzählt hatte", setzte Korobios sein Geständnis fort. „Er wandte sich an mich, wollte wissen, wie wir mit diesem Bestechungsversuch umgehen sollten. In diesem Moment war klar, dass auch er ausgeschaltet werden musste – so wie Sitalkes, der an der Quelle etwas beobachtet hatte. Ich ließ die beiden von ein paar Kerlen entführen, die für Drachmen so ziemlich alles tun."

„Was hattet ihr eigentlich mit uns vor?", wollte Theodorus wissen.

„Wir wollten euch als Sklaven verkaufen", erwiderte Battos düster.

Jetzt mischte sich sein Sohn ein. „Ist das alles wahr?", fragte Philippos fassungslos.

Battos straffte die Schultern. „Ich habe es für unsere Stadt Theben getan", entgegnete er fast trotzig.

„Und dafür bist du zum Verbrecher geworden", stellte Philippos enttäuscht fest. „Sicherlich hast du auch meinen Orakelspruch fälschen lassen, oder?"

Langsam nickte Battos. „Ich wollte nur das Beste für dich ..."

„Und ich werde jetzt meine Eleftheria heiraten!",

stieß Philippos zornig hervor. „Du jedenfalls wirst mich nicht daran hindern."

Alexander schüttelte den Kopf. „Was für eine durchtriebene Geschichte. Führt Korobios, Androtion und Battos ab!" Dann blickte er wohlwollend auf Kim, Leon und Julian herab. „Ich glaube, ich bin euch zu großem Dank verpflichtet. Aber dazu später. Denn eigentlich bin ich hier, um das Orakel zu befragen."

Irini trat einen Schritt auf den König zu und verbeugte sich tief. „Wenn du willst, edler König, will ich deine Pythia sein."

Ein Lächeln erschien auf dem Gesicht des Königs. „So sei es, beim Apollon!"

Zusammen mit vielen Bürgern und Besuchern von Delphi fieberten die Freunde der Verkündung des Orakels entgegen. Niemand war nach Hause gegangen, alle warteten auf diesen entscheidenden Spruch. Eine Stunde war vergangen, seitdem der Herrscher Makedoniens mit Irini, Theodorus und einigen anderen Helfern im Heiligtum verschwunden war und sich das schwere Holztor hinter ihnen geschlossen hatte.

Inzwischen war Medias zu den Freunden gestoßen.

„Das habe ich mir schon gedacht, dass mit diesem Battos etwas nicht stimmt", sagte der Seher unvermittelt.

Kim grinste. „Jetzt behaupte bloß nicht, dass du das vorhergesehen hast."

Auch Medias musste lächeln. „Sehr komisch! Aber mit euch stimmt auch etwas nicht, beim Zeus. Eure seltsame Ankunft aus dem Nichts, diese ungewöhnliche Katze …"

„Nein, nein, wir sind vollkommen normal", sagte Julian schnell.

Medias schüttelte den Kopf. „Das *sehe* ich aber ganz anders. Und damit kenne ich mich aus."

„Ach wirklich?"

„Allerdings, beim Apollon! Immerhin habe ich Philippos richtig vorhergesagt, dass er seine Eleftheria heiraten wird. Oh, das Tor öffnet sich!"

Gespannt starrten die Freunde zum Tempel. Im Torbogen erschien gerade der König. Er zügelte sein Pferd.

„Was hat die Pythia gesprochen?", fragte jemand aus der Menge.

„Ja, sag es uns!", rief ein anderer.

Alexander reckte die Fäuste in den nächtlichen Himmel. „Dir kann niemand widerstehen, mein Sohn – das hat die Pythia gesagt! Und das wird auch für meine Feinde in Theben gelten."

„Er wird Theben angreifen, das ist jetzt klar!", murmelte Medias.

„Ja, dafür muss man kein Prophet sein", konnte sich

Kim nicht verkneifen zu sagen. Zu ihren Freunden wisperte sie: „Was meint ihr, Jungs: Sollen wir uns verkrümeln?"

Leon blickte ihr direkt in die Augen. „Du meinst nach Siebenthann?"

„Genau das", flüsterte Kim. „Nun wissen wir doch, dass sogar ein echter König auf eine Pythia gehört und auf dieser Grundlage eine bedeutende Entscheidung getroffen hat."

Medias hatte nur Augen für den König. Und so gelang es den Freunden unbemerkt, in der Menge unterzutauchen.

„Klappt doch", feixte Leon. „Und jetzt kommt: Auf zu unserem Olivenbaum!"

Kim seufzte. „Ich hätte mich gern noch richtig von Medias, Irini, Theodorus und Sitalkes verabschiedet."

„Lieber nicht", sagte Leon. „Wir müssen jedes Aufsehen vermeiden. Heim nach Siebenthann!"

Die magische Kugel

Leon und Julian standen neben dem Autoskooter und warteten auf Kim. Ein Tag war nach ihrer Rückreise aus Delphi vergangen.

Nach den Abenteuern in Griechenland wollten die Freunde nun ihr letztes Taschengeld auf dem Jahrmarkt von Siebenthann verpulvern.

„Oh, du hast ja Kija mitgebracht", sagte Leon überrascht, als das Mädchen auf ihn und Julian zuschlenderte. Die Katze steckte vorn in Kims Jacke, nur ihr Köpfchen schaute heraus.

„Klar, warum nicht?", erwiderte Kim.

Leon kratzte sich am Hinterkopf. „Na ja, hier ist es ziemlich laut und hektisch. Könnte vielleicht zu viel Stress für Kija sein. Außerdem wollte ich nachher noch eine Runde Achterbahn fahren."

„Ohne mich!", sagte Julian schnell.

„Ich fahre diesmal auch nicht mit", ergänzte Kim.

„Warum denn das?"

Kim lächelte. „Ich habe etwas Besseres vor. Ich will

zur Wahrsagerin Fatima! Und deshalb ist auch Kija mit dabei. Das wird sie garantiert interessieren!"

„Och nö, du willst doch dein Geld nicht für so einen Humbug aus dem Fenster werfen!" Leon stöhnte.

Kim stützte die Hände in die Seite. „Humbug? Ich dachte, du hättest bei unserer Zeitreise etwas dazuge-lernt."

„Da waren wir beim Orakel von Delphi", entgegnete Leon und deutete auf den Wohnwagen, der mit der gro-ßen Kristallkugel verziert war. „Und nicht in einer Bret-terbude in Siebenthann."

Kim ließ sich nicht beirren. „Ich werde es auf einen Versuch ankommen lassen. Ihr braucht ja nicht mitzu-kommen."

Doch Leon und Julian waren viel zu neugierig, um sich das Spektakel entgehen zu lassen. Und so klopften die Freunde kurz darauf an die Tür des Wohnwagens. Eine spindeldürre Frau öffnete. Zwischen ihren grell ge-schminkten Lippen steckte ein Zigarillo. Erwartungs-voll blickte sie die Kinder an.

„Sie müssen Fatima sein", sagte Kim unsicher. Etwas Besseres war ihr gerade nicht eingefallen.

„Gut erkannt", erwiderte die Wahrsagerin etwas spöttisch und lachte kehlig. „Und ihr wollt einen Blick in die Zukunft riskieren?"

„Ich schon", sagte Kim schnell.

„Gut, aber wen hast du denn da noch dabei?" Fatima zeigte mit einem langen, dünnen Finger auf die Katze.

„Das ist Kija", sagte Kim freundlich.

Langsam nickte die Wahrsagerin. „Eine sehr ungewöhnliche Katze. Es geht etwas von ihr aus, etwas Magisches ... Aber wie dem auch sein, kommt rein, sofern ihr mit meinen Preisen einverstanden seid." Energisch pochte der dünne Finger auf ein Preisschild an der Innenseite der Tür.

Kim schluckte, ging dann aber mit den anderen hinein. Im Wohnwagen herrschte violettes Schummerlicht. Die Wände waren mit schwarzem Samt überzogen, auf dem silberne Sterne glitzerten. In der Mitte des Raums stand ein kleiner Tisch, auf dem sich eine Kristallkugel befand. Fatima versenkte den Zigarillo in einem klobigen Aschenbecher und setzte sich hinter den Tisch. Dann bat sie die Kinder, ihr gegenüber Platz zu nehmen.

Als Fatima bemerkte, dass Kim die Kugel anstarrte, sagte sie stolz: „Diese Kugel ist geweiht und bezieht ihre Energie ausschließlich vom Mondlicht."

Sie zog eine Schachtel Streichhölzer hervor und zündete zwei schwarze Kerzen an, die rechts und links neben der Kugel standen. Dann sah sie Kim neugierig an. „Was willst du wissen?"

Das Mädchen zuckte die Achseln. „Weiß nicht – wie

wär's mit einem Blick in die Zukunft? Ganz allgemein, einfach so …"

Fatima war einverstanden. „Seid nun bitte ruhig, ich muss mich konzentrieren." Dann richtete sie ihren Blick auf die Kristallkugel.

Völlige Stille kehrte ein. Kim beobachtete die Wahrsagerin genau. Deren Augen waren seltsam starr.

„Die Nebel lichten sich", murmelte Fatima jetzt. „Langsam sehe ich etwas … Ein Schiff, nein, etwas anderes. Es ist etwas, das sich bewegt, sehr schnell bewegt!" Ihre Stimme wurde lauter, klang gehetzt. „Es rast durch Zeit und Raum, seltsam – was ist das?" Ihre Stirn lag in Falten. „Nun sehe ich es deutlicher. Vielleicht ein Flugzeug, es jagt durch das Universum! Jedenfalls kann ich dir sagen, dass du noch viele Reisen unternehmen wirst."

Fatima entlockte der Kugel noch einige andere Vorhersagen. Unter anderem prophezeite sie Kim ein gutes Zeugnis und eine Erkältung. Doch dann verstummte sie und schüttelte den Kopf. „Nun ziehen die Nebel wieder auf, alles verschwimmt – zu schade." Sie hörte auf, in die Kugel zu starren, und beendete die Sitzung.

Kim bezahlte die Wahrsagerin und verließ mit ihren Freunden den Wohnwagen. „Viele Reisen hat sie mir prophezeit. Da könnte sie verdammt Recht haben", sagte Kim zufrieden.

Leon prustete los. „Große Klasse, das hätte ich dir auch vorhersagen können!"

„Stimmt." Julian lachte. „Tempus wird es möglich machen. Ich freue mich schon auf unser nächstes Abenteuer!"

Das Orakel von Delphi und Alexander der Große

Das Orakel von Delphi war die berühmteste griechische Pilger- und Weissagungsstätte der Antike. Es galt als Mittelpunkt der Welt, weil im Tempel des Apollon der Omphalos (= Nabel der Welt) ruhte. In der Antike glaubten die Menschen, dass die Erde eine vom Ozean umschlossene Scheibe sei. Der Sage nach hatte der mächtige Gott Zeus zwei Adler ausgesandt, um den Mittelpunkt dieser Scheibe zu suchen. Der eine Vogel startete am östlichen Rand der Scheibe, der andere am westlichen Rand. Die Tiere flogen sich entgegen und trafen sich in Delphi. Diesen Ort kennzeichnete Zeus mit einem eiförmigen Stein, dem Omphalos.

Erste Siedlungsspuren im Bereich des Heiligtums stammen aus der Zeit um 1500 v. Chr. Damals hieß der Ort noch Pytho. Zunächst wurde dort die Erdgöttin Gaia verehrt, die – dem Mythos nach – von ihrem Sohn, dem Drachen Python, bewacht wurde. Als der Gott Apollon sich auf der Suche nach einer Heimat in Delphi niederlassen wollte, stellte sich ihm der Drache entgegen. Apollon tötete den Drachen und übernahm das Heiligtum der Gaia. Später versöhnte sich Apollon mit Gaia und führte alle vier Jahre die so genannten pythischen Spiele durch – zu Ehren ihres toten Sohnes. Etwa ab dem 8. Jahrhundert wurde in Delphi Apollon verehrt.

Seine große Blütezeit erlebte Delphi vom 6. bis zum 4. Jahrhundert v. Chr. Vor allen wichtigen Entscheidungen (zum Beispiel über Krieg oder Frieden) wurde das Orakel von den Regierenden befragt.

Delphi war *die* Kultstätte Griechenlands. Der heilige Bezirk wurde ständig erweitert, zahlreiche, gut gefüllte Schatzhäuser wurden dort von den verschiedensten Stämmen und Völkern erbaut, um sich Apollons Gunst zu sichern.

Wer auch immer das Orakel befragte, musste den Pelanos entrichten. Zunächst war das nur ein Opferkuchen, später wurden es jedoch hohe Geldsummen. Dann erst wurde der Ratsuchende zur Pythia vorgelassen, die im Adyton wartete und von mehreren Priestern unterstützt wurde. Weitere unentbehrliche Elemente der Orakelbefragung waren ein Lorbeerbaum und der Dreifuß, auf dem die Pythia saß. Die Priesterin berauschte sich vermutlich durch das Einatmen bestimmter Kräuter. In diesem Zustand sprach sie zum Ratsuchenden und verkündete den Willen Apollons – oder sie nahm eine bestimmte Bohne aus einer Schale. Weiß stand für Ja, Schwarz für Nein.

Wie wurde man Pythia? Viel ist darüber nicht bekannt. Als sicher gilt, dass die Priester die Pythien aus den Familien von Delphi wählten. Die Pythien waren bei ihrer Ernennung meistens etwa 15 Jahre alt, mussten Jungfrau sein und ihr ganzes Leben lang dem Gott dienen. Erst nachdem eine junge Pythia entführt worden war, ging man dazu über, ältere Frauen als Pythien zu bestimmen.

Im Laufe der Jahrhunderte trat die politische Funktion des Orakels allmählich in den Hintergrund. Immer mehr Menschen nutzten das Orakel für persönliche Fragen – und zahlten dafür üppig. Wenngleich Delphi nicht mehr die staatspolitische Bedeutung hatte, so war es doch unglaublich reich. Das erwies sich jedoch auch als Nachteil – denn das machte Delphi ausgesprochen attraktiv für Plünderungen. 191 v. Chr. eroberten die Römer die Orakelstätte. Kaiser wie Nero und Sulla bedienten sich an den Schätzen. Als „Nabel der Welt" konnte die Stätte längst nicht mehr bezeichnet werden. Das endgültige Aus für das Heiligtum kam im Jahr 394 n. Chr.: Kaiser Theodosius befahl die Einführung des Christentums als Staatsreligion und verbot alle heidnischen Kulte.

Wie gesagt wurde das Orakel oft vor Feldzügen befragt. Auch der makedonische König Alexander der Große (356–323 v. Chr.) suchte das Orakel kurz nach seiner Krönung auf – man schrieb das Jahr 336 v. Chr. Die Antwort der Pythia lautete: „Dir kann niemand widerstehen, mein Sohn!" Das reichte dem gerade einmal 20-jährigen Alexander, um in den Krieg zu ziehen. Er unterwarf die Stadtstaaten Theben und Athen und formte aus Makedonen und Griechen ein gewaltiges Heer mit 25 000 schwer bewaffneten Hopliten.

334 v. Chr. marschierte Alexander in Kleinasien ein und vertrieb die Perser. Anschließend eroberte er Ägypten und zog Richtung Osten – ins Zentrum der persischen Landstreitmächte. 331 v. Chr. kam es in Gaugamela zu einer Entscheidungsschlacht gegen Alexanders Widersacher, König Darius. Abermals siegte Alexander, obwohl Darius' Heer weitaus größer war. Den rastlosen Eroberer zog es weiter nach Indien, wo er 326 v. Chr. ein großes indisches Heer vernichtend schlug.

Aber die Verluste waren auch in Alexanders Heer gewaltig. Nach zehn Jahren Krieg wollten die überlebenden Soldaten zurück in ihre Heimat. Alexander fügte sich und befahl den Heimmarsch. Doch der Herrscher sollte seine Heimat nie wiedersehen: Er starb am 13. Juni 323 v. Chr. an Fieber. Der Mann, der ein Weltreich erobert hatte, wurde nur knapp 33 Jahre alt.

Glossar

Adyton der allerheiligste Bereich eines Tempels, zumeist nur den Priestern zugänglich. Hier stand ein Abbild des verehrten Gottes.

Agora Markt- und Versammlungsplatz in griechischen Städten

Akroter Zierelement an den Ecken oder auf der Spitze eines Giebels (Tempel)

Alekto griechische Rachegöttin, übersetzt: die Unaufhörliche (gemeint ist, dass sie bei der Jagd keine Gnade kannte)

Aphrodite griechische Göttin der Liebe und der Schönheit

Apollon (griechisch = der Goldhaarige) griechischer Gott des Lichts, des Frühlings, der sittlichen Reinheit, der Musik, des Gesangs, der Dichtkunst, der Weissagung und der Heilkunst. Beschützer der Herden, Helfer im Krieg.

Ares griechischer Gott des Krieges, außerdem Gott des Feldes

Argiver Bewohner der nordgriechischen Stadt Argos. Argos gilt als die älteste, dauerhaft besiedelte Stadt Europas.

Bilsenkraut auch Hexenkraut genannt. Giftpflanze, die Rauschzustände und Sinnestäuschungen hervorruft

Bouleuterion In diesem Versammlungsraum kam der Rat der Stadt Delphi zusammen. Das Gebäude hatte oft die Form eines kleinen Theaters mit ansteigenden Sitzreihen.

Chiton altgriechisches röhrenförmiges Gewand, mit oder ohne Ärmel

Delphi altgriechische Orakelstätte. Delphi liegt nördlich des Golfs von Korinth in einer Höhe von 700 Metern am Fuße des Parnass-Gebirges. Zur Küste sind es etwa 15 Kilometer.

Dionysos Gott des Weins, der Sinnesfreuden. Sohn des Zeus

dorischer Stil Der dorische Baustil war auf dem griechischen Festland sehr verbreitet. Der Name geht auf das Volk der Dorier zurück, die den Peloponnes um 1000 v. Chr. besiedelten. Der dorische Stil ist streng und eher schmucklos.

Drachme griechische Silbermünze

Dreifuß dreifüßiger Untersatz für Kessel; in Delphi der Sitzplatz für die Pythia

Erebos griechischer Gott der Finsternis. Laut der griechischen Mythologie gab es zu Beginn der Welt nur eine große Dunkelheit, der das Chaos entsprang.

Das Chaos paarte sich mit der Dunkelheit – aus dieser Verbindung entstanden die Nacht (Nyx), der Tag (Hemera), die Luft (Aither) und Erebos als Verkörperung der Finsternis und Erdentiefe.

Erinnyen (griechisch = die Wütenden) Rachegöttinnen. Sie wachten laut der griechischen Mythologie über die sittliche Ordnung. Die Rachegöttinnen wurden vor allem dann aktiv, wenn es um Mord, Verbrechen an den Eltern und um die Verletzung heiliger Bräuche ging.

Gaia griechische Göttin der Erde (die Erde in Göttergestalt), Mutter des Drachen Python

Heilige Straße Hauptstraße im Tempelbezirk von Delphi

Hermes griechischer Götterbote und Gott des Handels

Hestia griechische Göttin des Herdes und des Herdfeuers

Himation rechteckiger Überwurf, von Männern über dem Chiton getragen

Hoplit schwer bewaffneter griechischer Fußkämpfer

Kapitell Oberteil einer Säule, auf dem das Dach ruht, je nach Baustil reich verziert

Kastalische Quelle Quelle in der Nähe des Delphi-Orakels

Kerkyräer Bewohner der griechischen Insel Kerkyra (heute: Korfu)

Kithara Leier aus Holz

Kredemnon mehrfach geschlungenes Kopftuch

Kylix schalenförmiges Trinkgefäß

Laudanum Rausch- und Schmerzmittel, gewonnen aus den Blättern der Zistrose

Makedonien heute zumeist Mazedonien (Hauptstadt Skopje), nördlich des heutigen Griechenlands gelegen. In der Antike von den Makedonen besiedelt, einem mit den Griechen verwandten Stamm

Megaira griechische Rachegöttin, übersetzt: der neidische Zorn

Oinochoe Schankkrug für Wein mit nur einem Henkel

Omphalos (griechisch = „Nabel der Welt") Kultstein im Orakel von Delphi

Orakel Weissagung; auch der Ort, an dem eine Priesterin oder ein Priester Weissagungen verkünden

Pan Wald- und Weidegott, Beschützer der Herden, Hirten und Jäger

Papadia-Schlucht Schlucht unterhalb der Kastalischen Quelle, zwischen den beiden Felsen Rhodini und Phlembukos

Papyrus antiker Vorläufer des Papiers

Parnassos Bergmassiv bei Delphi, 2457 Meter hoch. Das Massiv ist laut der griechischen Mythologie dem Gott Apollon geweiht. Heute ist die Region ein bekanntes Skigebiet.

Pelanos Opfergabe vor der Erteilung eines Orakelspruchs, anfangs Gebäck, später Geld

Peloponnes griechische Halbinsel, 21000 Quadratkilometer groß, heute rund 1,1 Millionen Einwohner, gebirgiges Gebiet, zum Teil bewaldet

Phlembukos (griechisch = der Flammende) gewaltiger Felsen im Osten der Orakelstätte

Phokis mittelgriechische Landschaft, rau, gebirgig, wenig ertragreich für Landwirtschaft

Pleistos Fluss bei Delphi

Pronaos Vorhalle eines antiken Tempels, meist mit Säulen geschmückt. Hinter der Vorhalle liegt der Raum mit dem Heiligtum, das verehrt wurde.

Prophetes Priester, der den Pilger beriet und für die korrekte Einhaltung des Rituals bei der Orakelbefragung zuständig war

Prytaneion Rathaus, Sitz der Regierung (Prytaneis) der Stadt im alten Griechenland.

Pythia, Pythien Priesterin, Priesterinnen im altgriechischen Delphi

Rhodini (griechisch = der Rosige) gewaltiger Felsen im Westen der Orakelstätte

Schatzhäuser kleine tempelförmige Gebäude, die Weihgeschenke verschiedener Städte an Heiligtümer waren und zugleich wertvolle Geschenke schützten

Somatophylakes Elitesoldat, oft Leibwächter eines Königs

Spartaner Einwohner des altgriechischen Stadtstaates Sparta, antike Hauptstadt im Süden des Peloponnes

Taxiarch hoher Offizier in der griechischen Armee

Tisiphone griechische Rachegöttin, übersetzt: die Rächende

Tyros bedeutende Hafenstadt in Phönikien (Landstrich an der Ostküste des Mittelmeeres, der heute überwiegend auf dem Gebiet des Libanons liegt)

Weihrauch Der Baum wächst unter anderem in Trockengebieten am Horn von Afrika (Somalia, Äthiopien). Der Harz spendende Baum wird 1,50 bis 8 Meter groß und hat eine papierartige Rinde. Das Harz entwickelt beim Verglühen (Räuchern) einen stark riechenden Rauch, der bereits in der Antike für Kulthandlungen (Orakel und Ähnliches) benutzt wurde.

Zeus mächtigster Gott der Griechen, Gott des Himmels

Die Zeitdetektive
Spannende Reisen durch die Zeit

Habt ihr schon mal einen Abstecher auf die Homepage

www.zeitdetektive.de

gemacht? Dort könnt ihr selbst einen Ausflug in den geheimnisvollen **Zeit-Raum Tempus** machen, euch im **Forum** mit anderen Fans austauschen und am **Zeitdetektiv-Lexikon** mitschreiben. Außerdem erfahrt ihr natürlich alles über den **Autor Fabian Lenk!**

Geschätzte Leser!

Das war ja wieder tierisch aufregend! Aber es hat sich meiner Meinung nach sehr gelohnt, diese geheimnisvolle Orakelstätte mit ihren Priestern und Priesterinnen zu besuchen.

Vor allem fand ich es unglaublich aufregend, dem berühmten Alexander gegenüber zu stehen. Was für ein mächtiger Mann!

Beeindruckt war ich aber auch von den schwer bewaffneten Soldaten. Sicher wisst ihr auch, liebe Leser, wie die griechischen Fußsoldaten heißen – oder?

Mit der richtigen Antwort auf meine Frage könnt ihr auf

www.zeitdetektive.de

spannende Fakten über das Heer unter Alexander dem Großen erfahren.

Frage:
Wie heißt ein griechischer Fußkämpfer?

- Hoplit   63h662
- Taxiarch   66m623
- Somatophylax   62d366

Gebt auf der Homepage einfach den Code ein, der hinter der richtigen Antwort steht – ich bin mir sicher, ihr werdet die Nuss knacken. Kleiner Tipp: Das Glossar in diesem Buch ist sehr hilfreich!

Es grüßt euch hochachtungsvoll

eure Kija